DEMAIN MATIN SI TOUT VA BIEN

CÉCILE

Krug

DEMAIN MATIN SI TOUT VA BIEN

ROMAN

À vous, « mes filles », qui vous reconnaîtrez dans ces pages.
Avec tout mon amour.

1

Edgar est très beau. Très grand. Très bien habillé. Très bien élevé. Très cultivé. Très sexy. Très bien bâti. Très sociable. Pas assez tendre à mon goût mais riche. Pas très riche, riche tout court. Plus riche que moi en tout cas, ce qui n'est pas une référence. Bien qu'ayant été pourvu d'un certain sens de l'humour, Edgar n'est pas drôle. Je ne vous cache pas que, quand il était petit, j'aurais préféré qu'il côtoie plus de clowns que de banquiers mais ses parents évoluant dans le joyeux milieu de la finance et pas dans celui du cirque, ceci explique cela. Quoi qu'il en soit, je trouve qu'Edgar a quasiment toutes les qualités dont une femme pourrait rêver. En résumé, c'est l'homme que j'attendais depuis longtemps et ça tombe plutôt bien puisqu'il est à moi. En plus de tous ces attributs, j'aime plein d'autres choses chez lui. Ses mains, son sourire, sa bouche, pleine et généreuse, sa peau, douce et toujours tiède, son sourcil droit qu'il lève quand il est amusé ou étonné, sa voix grave et sensuelle, son odeur, sa façon de bouger et de marcher. Je l'aime, c'est aussi simple que cela. Lui aussi – enfin je crois. Voyez-vous, Edgar est un peu avare en mots d'amour. Quand je lui dis : « Je t'aime », j'ai droit, pour seule réponse, à un : « Oui, je sais » ou à : « Tu es mignonne. » Jamais au « Moi aussi » auquel toute femme amoureuse aspire. « Oui, je sais », c'est frustrant. Pourtant, je n'arrive pas à lui en vouloir car d'après ce que je sais par Antoine, un de ses amis, il a beaucoup souffert.

Edgar est resté six ans avec une certaine Valérie, une fille sans intérêt, qui l'a cocufié avec le Tout-Paris pratiquement sous ses yeux. À mon avis, elle s'est arrêtée à Paris parce que la banlieue est moins pratique d'accès et qu'il faut être sacrément motivé pour prendre le RER juste pour un cinq à sept qui peut s'avérer désastreux. L'amour étant aveugle, Edgar n'a rien vu. C'est du moins ce que ses proches croyaient. Toujours selon cet ami, il aimait cette fille à la folie et voulait l'épouser. C'est ce qu'il a fait. Il s'est marié en grande pompe, à l'église. Lui, avec le traditionnel déguisement de pingouin et elle, attifée comme une prolotte avec des plumes d'autruche décrépites et poussiéreuses qui pendaient de sa robe couleur beurre rance. Grotesque ! Je n'y étais pas, bien sûr, mais c'est ce que des gens qui lui voulaient sûrement du bien m'ont rapporté. Après le cocktail très prout-prout-chabada, tous les invités se sont retrouvés sous la tente. Pas pour camper, vous imaginez bien. Antoine m'a raconté qu'Edgar a saisi le micro en disant qu'il avait une surprise pour tout le monde. Il a invité les gens à s'asseoir à leur place et, tout seul sur l'estrade, il s'est fendu d'un discours sur l'amour, les vertus du mariage, les valeurs de la famille, l'importance de la fidélité dans le couple, etc. Il a terminé sa tirade en demandant à tous les convives de retourner, en même temps, leur assiette. La surprise se trouvait dessous. Vous le croirez ou non, il avait scotché sous chaque assiette une photo de sa femme, les miches à l'air, en train de se faire culbuter par son meilleur ami qui, accessoirement, était aussi son témoin.

Personne n'a jamais su comment il avait réussi à obtenir ce cliché mais tout le monde s'est accordé à dire qu'il avait dû préparer son coup de longue date et mettre quelqu'un dans la confidence. Les bruits ont même couru qu'il avait engagé un détective pour surveiller sa dulcinée qui était, soi-disant, une grande habituée des clubs échangistes quand son chéri était en voyage d'affaires. D'après Antoine, chacun y est allé de sa version à la suite du mariage et, quelques semaines après, la légende urbaine était née. Edgar était soit le mari meurtri, trahi par une femme douteuse plus proche de la chienne lubrique que de la sainte nitouche, soit l'ordure machiavélique qui avait le cœur aussi dur que la pierre pour refuser d'accueillir à nouveau en son sein cette pauvre pécheresse pleine de repentir. La pauvre, pauvre fille... Trois cents personnes l'ont vue en photo à quatre pattes, sa culotte sur la tête, la langue pendante et le visage déformé par l'extase. Subir une telle humiliation et ne pas opter pour l'exil, ça me dépasse. Cette bécasse a préféré rester là, avec sa robe et sa coiffure tartignoles, incapable de dire autre chose que « Ben, je comprends pas » en boucle. C'était pathétique. Paraît-il. Quant à Jean-Julien, le fameux témoin et meilleur ami d'Edgar, il est parti sans demander son reste après avoir ruiné un falzar tout neuf en faisant pipi de honte dedans. Avant même que les entrées soient servies aux invités encore sous le choc, Edgar a lui aussi disparu de la circulation et fait annuler le mariage. Il n'a jamais revu, ni reparlé à son ex qui, d'après la rumeur, coulerait des jours pas heureux du tout dans une ferme du Cantal où elle élèverait des marmottes.

Tout ça pour vous dire qu'Edgar marche un peu sur des œufs avec les femmes et que je comprends qu'il ne soit pas prêt à s'engager tout de suite. Il ne m'a jamais parlé de cette histoire et je doute fort qu'il sache qu'Antoine est une source d'infos intarissable, même quand on ne lui demande rien. Bon, en l'occurrence, j'avais demandé. L'important, c'est que je suis là maintenant et que je vais lui faire oublier tous ses malheurs. Quand il aura compris que je suis une perle rare et qu'avec moi sa vie est belle et qu'elle est destinée à le rester, alors il me dira : « Je t'aime, Garance » et plus : « Oui, je sais » en me caressant la tête comme il le ferait avec son labrador. S'il en avait un.

2

Donc, je m'appelle Garance. C'est un prénom que j'ai eu beaucoup de mal à accepter. Surtout quand j'ai atterri à la grande école où tous les élèves m'appelaient *Daktari*. Clarence, Garance, c'est assez proche, vous en conviendrez. À la décharge de ces petits morveux, il faut dire que j'avais un physique assez ingrat. Petite, habillée comme un garçon, les cheveux coiffés très courts, je m'amusais très souvent à loucher. Je trouvais ça tordant, surtout parce que ça rendait ma mère hystérique. Elle me répétait chaque fois que j'allais finir par rester comme ça jusqu'à la fin de ma vie à cause des courants d'air. Exemple typique des commentaires affligeants qui se transmettent de génération en génération. Dans le même genre, vous avez aussi : « N'avale pas ton chewing-gum, tu vas te boucher le derrière » ou : « Ne mange pas tes ongles, tu vas attraper l'appendicite. » J'ai avalé cent fois mon chewing-gum sans jamais me boucher quoi que ce soit, mais ce que je peux dire, c'est que sur les méfaits des courants d'air, ma mère ne s'était pas trompée : un matin, je me suis réveillée avec l'œil droit complètement azimuté qui semblait vouloir confier un secret à mon nez. Je me suis vraiment mise à loucher et suis restée en l'état jusqu'à mon opération des yeux, quelques années plus tard.

Je pourrais également vous parler de mon appareil dentaire, accessoire souvent indissociable des lunettes, et vous raconter que je n'étais invitée aux goûters d'anniversaire que pour faire glousser cette bande de dégénérés mentaux d'une méchanceté consternante. J'ai passé des heures des larmes plein les yeux, assise seule sur un banc à jouer les boucs émissaires et à apprendre, à mes dépens, la notion d'injustice. Depuis, j'ai toujours une tendresse spontanée très particulière pour les petits bouts de chou à lunettes aux quenottes toutes tordues. Aujourd'hui, tout va bien, merci. J'ai trente-cinq ans, mes dents sont droites, mes yeux à la place prévue par les manuels et j'assume mon prénom. Edgar l'adore et comme j'adore Edgar, je suis devenue une fan de Garance.

Je dois vous préciser que nous sommes ensemble depuis le jeudi 15 juillet 2003. Plus exactement depuis six mois, sept jours, douze heures et trois minutes. Les secondes, j'ai oublié. À mon âge, six mois de vie de couple et d'amour, c'est aussi long que deux ans de relation pour une midinette de vingt ans qui se cherche encore et qui a la vie devant elle pour changer autant de fois d'avis que de fiancé. À mon âge, on sait ce que l'on ne veut plus. On s'investit et on capitalise en vue du long terme. On projette, on tire des plans sur la comète. À mon âge, pour celles qui veulent avoir des enfants, le temps est compté et nous n'avons plus trop le loisir de nous tromper de cheval. Ou alors, à défaut du bon cheval, on se contente ponctuellement de l'âne bien monté en espérant qu'il remplira sa fonction pour la nuit : du sexe, du sexe et encore du sexe.

Nous sommes le 22 janvier 2004. La journée commence bien. Le ciel est très bleu, il fait froid et je suis sous la couette, de bonne humeur. C'est l'hiver. De mon lit, je découvre les toits de Paris sous la neige et c'est magnifique. Il doit être un peu plus de 10 heures et je profite pleinement de ce moment. Je m'étire comme un jeune chat et je ronronne de plaisir. J'ai fait l'amour toute la nuit avec l'homme que j'aime. Au moins quatre fois. Non, c'est faux. Pas quatre. Mais j'aurais pu si j'avais voulu. Sauf que je me suis endormie trop vite pour entamer le deuxième round. Je me demande toujours comment font ces couples pour batifoler des nuits entières et remettre le couvert deux, trois ou cinq fois de suite. Moi, quand la batterie est à plat, il n'y a plus rien à en tirer. Il faut que je dorme, un point c'est tout. Franchement, après mon premier et dernier orgasme de la nuit, si je dois sortir de sa torpeur postcoïtale mon périmètre entrejambesque, j'ai l'impression désagréable qu'on force ma porte d'entrée avec un énorme marteau-pilon enveloppé de papier de verre. Et c'est très douloureux.

Je suis toujours sous la couette mais j'ai eu le temps de me préparer un café comme je les aime. Peu de café et beaucoup d'eau. *The American way*, comme on dit. Totalement insipide et sans saveur pour les vrais amateurs de café mais moi, c'est comme ça que je l'aime. Je ne prends jamais rien d'autre en guise de petit déjeuner. Je n'ai jamais faim le matin. Pourtant, allez savoir pourquoi, quand je suis à l'hôtel, je suis capable de dévorer la nappe du buffet. Mais je m'égare... Je vous disais donc que depuis que l'amour avec un grand A s'est installé dans mon quotidien, je suis sur un petit nuage, je vis en lévitation permanente et j'adore ça.

3

J'ai rencontré mon petit copain après au moins un an de célibat. Je fais une parenthèse à ce sujet pour décerner à l'expression « petit copain » la palme de la niaiserie. À chaque fois que je prononce ou entends ces deux mots, j'ai le sentiment de régresser intellectuellement.

« Et toi, Garance, tu as un petit copain ?

— Oui, il a quatre ans et il est à la maternelle avec moi. Sa maman, elle est très zentille et elle m'invite souvent dans sa maison pour manzer des saucisses et pour zouer avec Edgar. »

Un conseil, n'utilisez le mot « petit copain » ou « petite copine » que si vous vous adressez à un enfant de dix ans ou à un adolescent de moins de quinze qui vient d'être trépané. Au-delà, c'est ridicule. Fin de la parenthèse.

Quand j'ai rencontré Edgar, j'étais seule. N'allez pas vous imaginer pour autant que je n'ai pas profité des plaisirs de la chair. En un an, je suis rentrée une fois avec deux hommes. Pas au même moment. Ce qui vaut pour deux vraies fois. Compte tenu de la pénurie d'offres par rapport à la demande, c'est déjà pas mal, même si mon entourage considère que c'est peu. Quand on constate qu'il suffit de se baisser pour ramasser un homme prêt à vous laisser jouer avec ses bijoux de famille pour un « p'tit coup » ni vu ni connu qui ne l'implique pas émotionnellement, alors oui, c'est peu. Mais j'ai du cœur, moi, et je ne voulais pas être envahie par la culpabilité d'avoir trahi une de mes semblables en lui dérobant son quatre-heures, son mari ou, accessoirement, le père de ses enfants. Au final, après avoir éliminé les mariés, fiancés et concubins, il ne me restait pas grand-chose à me mettre sous la dent, le terrain de chasse se limitant aux veufs qui se trimbalent avec l'album photos de leurs défuntes épouses, aux divorcés qui se trimbalent avec l'album photos de leur marmaille quand ce n'est pas avec la marmaille tout court, et à quelques rares spécimens de deux espèces en voie de disparition :

— les célibataires de moins de vingt ans qui s'intéressent aux vieilles filles de trente-cinq pour leur expérience en matière de sexe et leurs seins un peu tombants qu'ils trouvent très maternels et donc excitants ;

— les célibataires entre cinquante et soixante ans qui ne s'intéressent pas qu'aux gamines taillées sur le moule de Barbie. Gamines qui les regardent comme la septième merveille du monde malgré leurs bourrelets et leur début de calvitie parce qu'ils paient les places au cinéma et les invitent au McDo après le cinoche, en les autorisant à se goinfrer avec les doigts pour leur prouver qu'ils savent s'adapter et rester jeunes, même en présence de la bande de copains acnéiques qui rotent à table.

Revenons à mes deux fois en un an. Profil et âge de mes conquêtes, je ne saurais vous le dire vu l'état dans lequel j'étais. J'ai un gros problème : quand je sors, je bois. Trop. En règle générale, je bois trop tout court mais quand je sors, j'abuse vraiment. Et quand j'ai trop bu, j'oublie complètement pourquoi j'ai un monsieur tout nu dans mon lit qui s'obstine à me susurrer des cochonneries à l'oreille et à enfouir sa langue baveuse dedans, tout en haletant comme un goret. C'est ce qui s'est passé avec mon premier amant, Thomas. Ou Ronaldo. Ou Bidule, je ne sais plus. Je le revois me montrer fièrement son truc tout dur que je fixais me demandant à quoi « ça » pouvait bien servir. À court d'idées, j'ai fini par jouer avec en l'étirant comme un chewing-gum, omettant que le propriétaire de l'engin était accroché à l'autre extrémité. Non content de souffrir le martyre, le pauvre bougre n'était pas non plus venu chez moi à 5 heures du matin pour voir une Nina Hagen ivre morte pousser la chansonnette sur un micro imaginaire. C'est dépité qu'il a quitté les lieux avec sa mi-molle sous le bras sans avoir eu l'opportunité de prouver de quoi ils étaient capables tous les deux.

La deuxième histoire n'a pas été plus brillante. Même si l'abus d'alcool n'est pas la principale raison de ce second fiasco, il a fortement contribué à faire de cette autre soirée un moment malheureusement mémorable. Sans rentrer dans les détails, j'ai passé une nuit assez semblable à celle que je viens de vous décrire. Libido zéro. À l'aube, après avoir somnolé environ dix-sept minutes, je me suis levée encore titubante en faisant, avant de m'éclipser, un arrêt éclair par la salle de bains. J'ai été soudain prise d'une envie pressante. Mon besoin primaire assouvi, j'ai tiré la chasse d'eau. Une fois, deux fois, trois fois. Rien. Elle était en panne et moi, paniquée. Un sac plastique dégoté sous le lavabo dans une main, la balayette dans l'autre, j'ai transvasé le contenu ragoûtant de la cuvette en grimaçant de dégoût. J'ai fermé le sac, puis l'ai posé sur la table basse du salon le temps de m'habiller. Avant de m'éclipser, j'ai rédigé un petit mot bateau à l'intention de mon compagnon platonique de lit pour le remercier de cette soirée, et l'ai également déposé sur la table. J'ai doucement fermé la porte et me suis retrouvée dans la cage d'escalier avec l'impression bizarre d'avoir oublié quelque chose. Le sac ! J'avais oublié le sac ! Autant vous dire que je n'ai jamais osé le rappeler et qu'il ne s'est jamais manifesté non plus. De ces épisodes dont je suis peu fière, j'ai retenu une leçon. La plus importante. Il faut que j'arrête de picoler, ça me rend immature et... frigide.

Puis Edgar est arrivé. Je n'avais jamais entendu parler de lui avant de le rencontrer et j'étais convaincue que c'était encore un coup monté de ma mère. Désespérée d'avoir une fille aussi vieille encore célibataire et à court d'imagination pour faire taire les mauvaises langues qui pensaient que j'étais lesbienne, ma mère est devenue la spécialiste pour s'occuper davantage de mes fesses que des siennes. Je pourrais lui offrir la médaille des dîners ratés où, depuis plus de huit ans maintenant, date à laquelle elle a décidé de me caser coûte que coûte, j'ai régulièrement dû traîner mes guêtres et ma triste mine. Je me suis longtemps demandé si elle n'arrêtait pas les hommes sans alliance dans la rue pour leur parler de moi et obtenir la promesse d'un rendez-vous pour un prochain dîner-traquenard. Edgar aurait pu être un de ceux-là. Je suis toujours atterrée de voir qu'elle est encore capable, après tant d'années, de sortir de son chapeau le fils d'une copine dont je n'ai jamais entendu parler.

« Ma chérie, tu sais le fils de mon amie Monique qui vivait à Séoul...

— Non, je sais pas.

— Mais si, tu sais. Monique a un fils, Stanislas, et il vit à Séoul.

— Non, je te dis, je ne sais pas... Et alors ?

— Eh bien, il veut à tout prix te rencontrer. Je lui ai parlé de toi et je lui ai dit que tu étais célibataire depuis longtemps. Tu vas voir, il est charmant.

— Je vais voir quoi et pour quoi faire ?

— Comment ça, pour quoi faire ? Pour parler, pour vous rencontrer, pour que tu voies des gens nouveaux et que tu te maries un jour ! Écoute, il est très bien pour toi, fais-moi confiance. Bonne famille, bonne situation, belle maison. Il a même une femme de ménage et une cuisinière à plein temps. Tu te rends compte ?

— ...

— Enfin bref, c'est le gendre idéal. Et en plus, il est veuf. Toi qui ne veux pas te faire emmerder par les ex, là tu ne peux pas trouver mieux. Elle n'est pas partie, elle est morte.

— Mais tu es monstrueuse ! »

Pour bien vous faire comprendre quels sont les goûts de Mme Kléberg Mère, je vous dirai que j'ai côtoyé tout ce que la planète peut offrir en matière de psychorigides, de tromblons ou de mous du bulbe qui vous dévisagent la bouche grande ouverte comme si vous étiez l'incarnation de la Vierge Marie. Je suis célibataire, mais pas désespérée au point de manger des merles quand il n'y a plus de grives. Mais ça, elle ne l'a toujours pas admis tant elle est convaincue que je suis malheureuse comme les pierres puisque seule dans la vie. J'ai arrêté de me justifier et de me battre depuis belle lurette, et je refuse désormais catégoriquement de me rendre à ses petites sauteries tout en continuant à en prendre plein mon grade. C'est mon destin de fille sans doute.

« Quoi ? Tu n'as pas envie de fonder une famille ? Tu te rends bien compte qu'à ton âge, j'avais déjà mes trois filles ? »

L'horloge tourne, l'horloge tourne. Tic tac, tic tac. À l'écouter, la ménopause me guette. Ma mère est déprimante... Si, si, déprimante, vraiment.

4

Ce fameux jeudi, jour de ma rencontre avec Edgar, c'est Arthur qui reçoit. Il ne ment jamais et m'a juré que ma mère n'a rien à voir là-dedans. Je l'aime, Arthur. Il est génial. Et fidèle en amitié. Je l'ai rencontré il y a plus de douze ans et depuis, il fait partie de ma vie. Ce que j'aime chez lui, c'est son côté féminin et le fait que nous ayons les mêmes goûts pour pas mal de choses. Plus particulièrement pour les hommes. Arthur a compris qu'il était homosexuel quelques jours après ses dix-sept ans. Avec le livreur de pizzas qui lui apportait chaque dimanche sa *margarita*, et sur lequel il s'était mis à fantasmer, il a franchi le pas et passé une nuit décisive. Il a trente-sept ans et n'a jamais regretté son choix.

Je suis arrivée au dîner la dernière. Il serait plus exact de dire que je suis entrée chez lui la dernière, mais pas dans son immeuble. Arthur m'avait prévenue que ce soir-là, je ne connaîtrais aucun des invités. Il avait envie que je rencontre ses « nouveaux amis ». Pour information, ses « anciens amis » étant aussi peu hétérosexuels que lui, j'imaginais assez volontiers que ses « nouveaux amis » préféreraient, eux aussi, les garçons aux filles. Plus que jamais convaincue que ce soir ne serait donc pas *the* soir, je n'ai fait aucun effort ni pour m'habiller ni pour me maquiller. Je ne me suis pas pressée pour autant. Si j'arrivais avant les autres, il allait encore falloir que je me coltine la conversation avec des inconnus dès que le maître de maison s'échapperait en cuisine pour préparer le dîner. « Tu t'appelles comment ? Tu l'as rencontré où, Arthur ? Tu fais quoi, dans la vie ? Tu aimes les tortues ? Oui, c'est bien la pluie, c'est sympa, ça nettoie. Et sinon, ça va ? »

Je ne suis pas très douée pour animer un débat. La timidité sans doute. J'étais conviée à 21 heures et je serais arrivée pile poil à l'heure si je ne m'étais pas cachée derrière l'ascenseur une petite demi-heure pendant laquelle j'ai pu épier les invités sans être vue. Une demi-heure, c'est long, surtout accroupie. Je suis donc arrivée en retard comme prévu. Quand je suis entrée dans le salon, Arthur à mon bras, j'ai commencé par me farcir les quatorze personnes à coups de « Bonjour, bonjour, moi c'est Garance, bisous, bisous. Non, pas Clarence, Garance. Non je n'étais pas derrière l'ascenseur tout à l'heure ». Puis, je me suis retrouvée face à Edgar. Je l'ai trouvé pas mal du tout. Charmant. Tout à fait mon genre. Mais comme Edgar était venu pour se trouver un copain et pas une copine, il était vain d'essayer de le séduire. Pourtant, en moins de deux minutes, il m'avait troublée. À tel point que je me suis surprise un quart de seconde à imaginer un revirement de cuti grâce à mon charme dévastateur. Malheureusement, quand un homme me plaît, homosexuel ou pas, je me transforme en une vraie catastrophe ambulante. J'ai commencé par me prendre les pieds dans le tapis en passant à table. Couillonnement, il n'y a pas d'autre mot, j'ai voulu me rattraper à Arthur qui, lui, portait le plateau de l'apéritif. Je ne vous ferai pas un dessin, mais nous avons eu une petite pensée émue pour le service en cristal de sa mère, la carafe de Porto, les petits boudins créoles et les acras de morue qui se sont retrouvés à patauger joyeusement sur un tapis persan à plus de mille. Après cet épisode, Arthur n'a pas cessé de me fixer, les yeux pleins de reproches. Non seulement j'avais superbement écourté l'apéritif, faute de vivres, mais j'avais réussi à ruiner son tapis et sa vaisselle. Tout s'est ensuite bien passé jusqu'à ce que j'oublie les préceptes de bonne éducation de ma mère et que je décide de mettre mon coude sur la table... que j'ai ratée. Je me suis à moitié fracassé le nez dans mon assiette et me suis retrouvée le menton dans le rôti-purée-faite-maison-à-l'huile-de-truffe-blanche. J'ai passé la demi-heure suivante assise en tailleur dans les toilettes à pester, à pleurer et à récupérer les restes de mon dîner dans mon décolleté. Arthur est même venu me rejoindre pour m'aider, me sermonner et surveiller que je n'étais pas en train de lui dilapider son stock de papier hygiénique. J'en ai profité pour lui demander, entre deux gros sanglots, si Edgar et lui ça avançait comme il voulait.

« Tu es folle ! Tu as cru qu'il était homo ? Tu n'as pas vu comment il te mate ? »

Non, je n'avais pas vu. Je suis enfin retournée m'asseoir en essayant de ne pas me vautrer au milieu du salon, sentant le rosbif et la purée à plein nez mais heureuse et prête à minauder. Ce que j'ai fait avec un plaisir non dissimulé. À part ces quelques petites maladresses, la soirée a été une grande réussite. Arthur s'était surpassé. Tout le monde a beaucoup parlé, beaucoup ri et beaucoup bu. Moi aussi. Je suis partie vers 2 heures du matin, titubant et sautant comme un jeune chiot à qui on aurait mis des chaussettes à chaque patte. Un peu plus et je leur faisais toute une série de galipettes sur le pas de la porte. Edgar aimait les femmes et moi j'aimais les hommes ! Je suis rentrée chez moi, seule mais avec son numéro dans ma poche et le mien dans la sienne. Il m'a promis qu'il me téléphonerait très bientôt. J'aurais bien aimé passer la nuit avec lui mais comme j'avais très envie de le revoir, je me suis abstenue. J'ai bien fait, j'ai vomi toute la nuit.

5

Edgar m'a appelée le lendemain matin. Comme « très bientôt », on ne pouvait pas faire plus court ! J'avais passé une nuit agitée me traînant du lit à la salle de bains pratiquement toutes les quarante minutes. Les quelques rares moments de répit durant lesquels je n'avais pas mon estomac sur les talons, j'ai fait des rêves plus que torrides où je me voyais avec Edgar dans des positions totalement surréalistes que même la bible « kamasutrienne » n'avait osé aborder. C'est la sonnerie du téléphone qui a interrompu en plein vol l'arrivée de mon dix-neuvième orgasme.

« Garance ? Bonjour, c'est Edgar. Je te réveille ?

— Non, pas du tout, je bosse de la maison aujourd'hui. J'ai pris ma journée. Comment vas-tu ? Tu es bien rentré hier ? »

Je ne le connaissais pas assez pour lui avouer que j'avais téléphoné ce matin au bureau pour dire que j'étais malade et que je végétais au fond de mon lit après la nuit la plus orgasmique de ma vie grâce à sa brouette tonkinoise, son coup du sanglier ou sa toupie magique.

« J'étais crevé. Il faut dire qu'on a bien picolé chez Arthur. C'était un peu dur ce matin, le réveil. Pas toi ?

— Non, moi ça va, je me suis levée relativement tôt et j'ai super bien dormi.

— Dis-moi, Garance, tu fais quelque chose ce soir ? On m'a refilé par hasard deux billets pour un spectacle et ça me ferait plaisir d'y aller avec toi. »

Yes, yes, yes, il m'invite !

« Attends, je regarde. Je crois que j'ai déjà un truc. Ne quitte pas... Alors euh... On est quel jour, aujourd'hui... ?

Mardi, je ne peux pas, jeudi non plus, vendredi je pars en week-end...

— Garance ? Le spectacle, c'est ce soir.

— Ah, c'est ce soir ! Alors attends, je vérifie.

— Ça me ferait vraiment plaisir d'y aller avec toi. »

Je crevais d'envie de lui dire que moi, je me serais damnée pour y aller avec lui mais j'en étais incapable. Edgar aurait pu me demander d'aller à un concert de la chorale des Petits Chanteurs à la Croix de Bois à cinq heures de Paris en marchant avec des chaussures trop petites, j'y serais allée les yeux fermés simplement pour être avec lui. Par contre, plutôt mourir que de dire oui spontanément et de le laisser croire que j'étais à sa disposition, que j'attendais son coup de téléphone et que je m'étais déjà rendue libre dans ma tête « au cas où il m'appellerait ».

« OK, c'est bon, je peux. C'est à quelle heure ?

— Je passe te prendre à 20 heures, ça te va ? Le spectacle commence vers 20 h 30.

— Pas de problème. Tu m'appelles quand tu es en bas ? À ce soir, je t'embrasse. »

Après la nuit enflammée que je venais de passer avec lui, « je t'embrasse » était un minimum.

Vous vous doutez bien que j'ai sauté du lit comme si je venais de découvrir qu'une maman cobra et ses petits s'étaient installés dedans. Il était 13 heures. J'avais donc sept heures devant moi pour me préparer. Suffisant, mais limite quand on ne sait pas s'organiser et se donner des priorités. J'ai commencé par prendre un bon bain bien chaud, histoire de me remettre les idées en place, et surtout de ramollir mes kilos de cellules mortes pour la phase II du programme de remise en beauté d'urgence. Un petit gommage doux, un ou deux masques lifting-coup d'éclat et après, hop, j'ai attaqué la moustache à la crème dépilatoire, les aisselles et les jambes au rasoir, et j'ai pris rendez-vous chez l'esthéticienne pour les poils du maillot. Comme dit un de mes amis, j'avais « le foin qui sortait de la charrette ». L'expression n'est pas très jolie mais elle est imagée. Au bout de deux heures trente, j'étais presque prête et épilée par Micheline et sa cire jetable bio, délicatement parfumée à la figue sauvage qu'on ne trouve, soi-disant, que chez elle. Et puisque j'étais dehors, j'en ai profité pour aller chez le coiffeur pour être définitivement irrésistible ce soir.

Depuis le temps, je devrais savoir qu'un coiffeur se choisit comme un boucher ou un boulanger. Vous achetez votre rôti ou votre baguette chez lui et si ça vous plaît, vous y retournez. Les liens privilégiés que vous entretenez, en tant que cliente fidèle, vous permettent de bénéficier des meilleurs produits, des meilleurs conseils et du meilleur traitement. Le coiffeur, c'est pareil. Juanito vous a bien brushingué ou coupé les cheveux une fois ? Vous êtes contente ? Alors, il est normal d'y retourner. Seulement, le salon de Juanito est dans le XVe arrondissement, juste à côté de mon bureau. Je ne suis pas inconsciente au point de courir le risque de me faire choper par une copine de travail en plein brushing alors que je suis censée être mourante. Je n'avais plus que quatre heures et demie pour tout faire : me coiffer, me maquiller et trouver comment j'allais m'habiller. C'était beaucoup trop court. J'ai donc décidé d'aller chez un petit coiffeur de quartier, pas loin de chez moi, dans le XVIIe : Hair Satz. Une dizaine de dadames, devant facilement avoir entre soixante-dix et quatre-vingt-dix-sept ans, se faisaient shampouiner, décolorer, mise-en-pliter et coiffer. J'avais l'impression d'avoir franchi par mégarde la porte d'une réserve de petites vieilles à moitié chauves. Toutes n'avaient d'yeux que pour moi et j'ai bien cru que j'allais finir dans une marmite au sous-sol. Je suis restée malgré tout, moins par conviction que par bonne éducation, en pensant qu'il n'y avait rien de plus banal qu'un simple brushing et que même Josiane pouvait s'en sortir. Après un shampooing de dix bonnes minutes, je m'en suis remise au destin.

6

Un conseil, n'allez jamais chez Josiane. Josiane est une excellente commerciale mais une mauvaise coiffeuse. En arrivant, j'avais le cheveu terne, peut-être, mais raide et long. Jusqu'au milieu du dos. Pratique pour les queues-de-cheval, les chignons et tout un tas d'autres coiffures. J'étais brune avec quelques cheveux blancs disséminés ici et là, mais rien de dramatique. Josiane ne partageait pas mon point de vue. C'était dramatique. Je crois avoir de la personnalité, mais je dois vous dire que j'ai beaucoup de mal à ne pas me laisser embobiner par une bonne vendeuse. Qu'il s'agisse de produits de beauté, de vêtements, d'accessoires inutiles ou d'une nouvelle coupe pour mes cheveux, je finis toujours par céder en pensant que la vendeuse fait tout cela pour mon bien. J'ai cédé. Erreur. Fatale. Je suis ressortie, deux heures plus tard, désespérée, triste, moche, en colère et fauchée. J'avais les cheveux dégradés jusqu'à la base du cou et bordeaux comme les trois quarts des mamies présentes. « Lie-de-vin » comme m'a dit la grosse Josiane. À cet instant, j'avais plus envie de lui plastiquer son salon que de disserter sur la subtilité d'un rouge.

« Si vous aviez eu les yeux bleus et non marron, la couleur aurait été encore plus lumineuse. »

Ben voyons... Le brushing, lui, s'est soldé par une ravissante mise en pli de mémère après un passage d'une heure sous un casque, un petit filet à commissions au-dessus des bigoudis, à lire un *Je jardine* de mars 1978. Tout ça pour la modique somme de quatre-vingt-dix-neuf euros, plus les pourboires et une sévère envie de me jeter par la fenêtre.

« Alors, ça vous plaît ?

— Euh... j'adore, c'est moderne, c'est jeune, ça me va bien et ce bordeaux, ça va avec tout : le noir, le beige, le beige, le noir. Non, c'est bien. »

J'aurais dû partir sans payer, pariant sur le fait qu'aucune des petites vieilles n'aurait pu me rattraper au sprint.

J'ai passé les deux heures suivantes à me maudire et à maudire Josiane, penchée au-dessus de la baignoire, le pommeau de la douche sur la tête, à me laver et relaver cent fois ce qui me restait de cheveux. Je n'étais pas aussi brune qu'avant mais en tout cas, j'étais moins rouge. Quant à la coupe, à force de gel et de manipulations, j'ai réussi à me trouver potable. La nuit. Dans une demi-heure, Edgar allait arriver et j'avais toujours les fesses à l'air. Je me suis habillée avec un lance-pierres, remaquillée et conditionnée pour ne pas annuler ce premier rendez-vous.

Comme convenu, Edgar a appelé en arrivant en bas de la maison. J'ai fait exprès de laisser sonner le téléphone au moins dix fois avant de décrocher et j'ai mis quinze bonnes minutes à le rejoindre. Pour le principe. Il m'attendait, propre et beau comme un sou neuf, devant la voiture, la main sur la portière ouverte côté passager. Bon début. Je ne l'ai même pas embrassé tellement j'étais mal à l'aise de me retrouver en tête à tête avec lui.

Que vous dire de la soirée ? Vingt sur vingt. J'ai passé une grande partie de mon temps à glousser en écoutant Edgar me raconter sa vie. Pas parce qu'il était drôle, mais parce que c'est ce que je sais faire de mieux quand je me sens godiche. Il a parlé de lui, de ses voyages, de son métier, de sa famille, de ses amis, de ses parents et de sa vie en général. Dès qu'il y avait un blanc, j'étais tellement inquiète à l'idée qu'il puisse s'ennuyer que je reposais une tonne de questions. Quant au menu, il était sûrement très bon, mais je n'ai rien pu avaler. J'ai tout juste picoré, trop nouée par cette intimité naissante. Mais ce n'est pas la seule raison qui m'a poussée à jeûner. Je me suis toujours trouvée assez moche quand je mâche. J'en ai en permanence plein la bouche et je n'ose plus parler ni sourire de peur d'avoir la moitié des aliments entre les dents. Je connais par cœur le coup de la feuille de salade qui a décidé de me pourrir la soirée malgré mes furieux coups de langue disgracieux pour la déloger. La solution ? Je ne dîne pas, je grappille avec élégance. Du coup, en rentrant, j'avais tellement faim que j'aurais pu avaler un chiffon. J'ai donc très peu mangé et tout aussi peu parlé de moi. Je n'ai pas été adoptée, je n'ai pas été lobotomisée, je n'ai pas été otage et je n'ai pas fait le tour du monde en radeau, donc, à mes yeux, je ne suis pas quelqu'un de très original et je me débrouille toujours pour en dire le moins possible et relancer la conversation sur l'autre. Et ça marche.

Edgar vient d'une famille bourgeoise bien nantie et a été scolarisé dans une école de garçons. Après avoir supporté l'uniforme gris et blanc jusqu'au baccalauréat, il s'est lancé dans des études supérieures d'ingénieur et s'est trouvé une superbe situation qui lui rapporte pas mal de blé. Il a été éduqué à la dure par des parents sévères et froids qui lui ont inculqué les bonnes manières. Il aime le cinéma, la littérature, les sorties, ses amis, parler de ses passions, les grands appartements, les gros chiens, les bons restaurants, les hôtels de luxe et les voyages culturels au bout du monde. Moi aussi, ça tombe bien. Il déteste le camping, les sacs de couchage et les douches communes, les barbecues nauséabonds de saucisses bon marché, les enfants sales et mal élevés, les gens qui parlent la bouche pleine, ceux qui n'ont aucune conviction, ceux qui portent des chaussettes blanches, les liquettes à manches courtes, les mocassins vernis et enfin les mouchoirs en tissu. Moi pareil. J'ai écouté Edgar, je l'ai bien observé sous toutes les coutures et j'ai définitivement craqué. Nous avons quitté le restaurant uniquement parce que le patron est venu nous voir en disant qu'il fermait. Il était tard. Je ne m'étais pas ennuyée une seule seconde et je n'avais pas envie de partir. Lui non plus. Nous étions bien. Le plus naturellement du monde, nous sommes arrivés chez moi pour passer notre première nuit dans les bras l'un de l'autre. Nous n'avons pas fait l'amour. Nous en crevions d'envie mais toute fraîche épilée que j'étais, j'avais pensé à tout sauf à l'essentiel... au préservatif. Edgar n'en avait pas non plus, ce qui prouve qu'il n'avait pas l'intention de me faire ma fête ce soir-là. J'ai trouvé cela très respectueux et délicat de sa part. Pas de préservatif, pas de sexe. J'ai bien pensé à lui emballer le zizi dans le doigt d'un de mes gants en caoutchouc que j'aurais pu découper, comme dans la pub, mais je n'avais que le modèle avant-guerre, trop épais.

Penser sur la liste des courses à acheter la bonne marque multi-usages que j'ai vue à la télé...

7

Notre première nuit a été câline, tendre, sensuelle et, il faut bien le reconnaître, frustrante. Bien que nous n'ayons pas passé la nuit à nous regarder dans le blanc des yeux, il n'y a pas eu un gramme de vrai sexe. Nous avons juste essayé de faire plus ample connaissance en nous familiarisant avec nos bas-ventres respectifs, histoire de s'habituer pour les prochaines fois. Le désir devenant difficile à contrôler, nous avons préféré nous abstenir plutôt que de sauter sans parachute. La raison a pris le dessus et c'est collés l'un contre l'autre que nous nous sommes endormis. En cuillère. Moi devant avec ses bras autour de ma taille, lui derrière avec son sexe encastré là où je pense. C'est le genre de position qui m'exaspère d'habitude mais là, j'ai fait comme si de rien n'était et j'ai débuté ma nuit contre le corps chaud et moite d'Edgar qui me soufflait dans l'oreille pendant que je tentais d'applaudir avec mes fesses pour déloger son monstre du loch Ness.

« Thé ou café, demain ?

— Café. Garance ?

— Oui.

— Je suis content d'être là. Dors bien.

— Moi aussi. Fais de beaux rêves. »

« Thé ou café ? », cette question, qui peut vous paraître anodine, est capitale pour moi. Je ne la pose qu'aux hommes avec lesquels je sens que j'ai un bout de chemin à faire et qui vont compter dans ma vie. Au début d'une histoire, je serais bien incapable de vous affirmer que tel homme, qui va passer sa première nuit dans mon lit et va devoir choisir entre thé ou café avant de s'endormir, deviendra l'homme d'une tranche de ma vie. Je le crois, je l'espère sans doute, mais au fond je n'ai aucune certitude. Par contre, je peux vous dire qu'il n'est pas nécessaire que je le fréquente longtemps – une soirée sans nuit suffit – avant d'être convaincue qu'il est trop loin de ce que j'aime pour avoir une chance de le devenir. Du haut de mes trente-cinq ans, il m'est devenu plus facile de faire le tri entre les bons et les mauvais numéros qui croisent ma route. Ça ne m'empêche pas de coucher avec les mauvais numéros pour qui j'ai simplement une attirance physique. Certains affirmeront que je juge trop vite, que je condamne avant même de les connaître des mauvais numéros qui pourraient, avec du temps et de la patience, se révéler être des bons. Ils ont sans doute raison. Mais je n'ai pas le temps de m'offrir le luxe de commencer une histoire et de me rendre compte, au bout de quelques mois que, finalement, mon intuition initiale était la bonne et qu'en effet, cet homme-là n'était pas fait pour moi. Je ne me suis jamais trompée. Les quatre hommes qui ont eu droit à mon « Thé ou café ? » après notre première nuit d'amour ont tous été importants. Edgar est le cinquième. Même si c'est un peu prématuré, j'aime penser qu'il n'y en aura pas d'autre après lui. Pour passer une nuit entière avec quelqu'un et accepter de prendre un petit déjeuner à deux, il faut que j'éprouve un petit pincement au cœur quand je regarde l'homme étendu à mes côtés. Je n'ai même pas besoin de le toucher, je le regarde juste. Si je n'éprouve rien, je prétexte un gros coup de fatigue et je lui demande de s'en aller pour ne pas avoir à me réveiller avec lui. Si j'ai le ventre un peu noué, si je suis émue ou attendrie, je me colle contre lui en lui demandant : « Thé ou café ? » Je peux alors tomber dans les bras de Morphée et me délecter de ce bien-être jouissif qui me fait dire que je voudrais déjà être demain. À ses côtés.

Dès le lendemain matin, après le départ d'Edgar, j'ai fait un saut à la pharmacie. Il y a quelques années, demander des capotes, c'était un peu comme aller acheter un traitement anti-morpions alors qu'un homme sublimissime fait la queue juste derrière moi. Inimaginable. Aujourd'hui, je m'envoie en l'air, je veux me protéger et je suis une grande fille réfléchie qui refuse de prendre des risques inconsidérés avec un homme qui a peut-être trempé son biscuit là où il ne faut pas. Comme dit ma mère : « Dans le doute, abstiens-toi, c'est mieux. » Je vérifie quand même avant de me lancer qu'il n'y a que des boudins dans la pharmacie. Un vieux réflexe, sans doute.

« Bonjour, je peux vous aider ?

— Oui... Bonjour, monsieur, je voudrais des préservatifs, s'il vous plaît.

— Bien sûr, lesquels ?

— Vous n'avez qu'à me mettre une boîte de chaque. Vous en avez des parfumés ?

— Bien sûr. Vous les voulez aussi ?

— Oui... Il faut les prendre en quelle taille, au fait ?

— Ça dépend de la taille de la verge de votre ami.

— Dans ce cas, mettez-moi des XXL, s'il vous plaît. »

Là, honnêtement, il a eu l'air admiratif et n'a pas pu s'empêcher de se regarder l'entrecuisse. Pour comparer, j'imagine. Bien que les femmes s'en amusent souvent entre copines et laissent planer le doute sur l'efficacité d'une petite fine, il n'y a que les hommes pour ne pas savoir que la longueur et la grosseur comptent peu. Cela va de soi, il y a des bornes dans le « petit » et le « fin » à ne pas dépasser, mais après tout, ne dit-on pas « Qu'importe le flacon, pourvu qu'on ait l'ivresse » ?

Goût fraise, banane, pomme, chocolat, fruits exotiques, lubrifié, avec réservoir, pas lubrifié, sans réservoir, avec des épines et même fluorescent ! J'ai tout pris, me jurant que plus jamais je n'aurais à souffrir d'une telle frustration. Être si proche de la dépravation sexuelle sans avoir le droit de s'y vautrer à corps perdu, c'est pire que de regarder un gâteau à travers une vitrine quand on démarre un régime. Plus jamais ça. Edgar m'a appelée trois fois dans la journée. Moi, trois fois aussi pour ne rien se dire de spécial à part « Comment tu vas ? », « Et toi, ça va ? », « Moi ça va, et toi ? », « Et là, tu fais quoi ? ». J'en ai quand même profité, entre deux « Ça va » bêtifiants, pour l'inviter à dîner à la maison le soir même en promettant de lui montrer ma toute nouvelle panoplie de *safe sex*.

Il est arrivé en avance, ou alors c'est moi qui étais très en retard. Je n'étais pas prête. J'étais encore en peignoir et je ne portais qu'un micro-string. Je l'ai gardé cinq secondes. On a essayé la capote goût banane en premier. Edgar était tellement pressé que j'ai bien cru qu'il allait essayer de l'enfiler sans prendre le temps d'ôter l'emballage. Il tremblait tant qu'il a tenu à ce que ce soit moi qui m'en occupe. C'était une mauvaise idée. Étant pour le partage des tâches, je n'ai jamais eu à mettre moi-même un préservatif. Je savais que je n'étais pas une grande manuelle devant l'Éternel, mais là, franchement, je me suis surpassée. J'avais eu les yeux plus gros que le ventre et c'était uniquement dans mon imagination qu'Edgar était bâti comme un mulet élevé aux hormones de croissance. Edgar est dans la bonne moyenne nationale, seulement il lui manquait bien quelques bons centimètres, en longueur et en diamètre, pour remplir tout ce latex. La capote était tellement grande que pour la maintenir en place, il a fallu que je la coince de force sous ses testicules. Avec du recul, j'aurais pu trouver mieux ou m'appliquer d'avantage. Imaginez un instant le tableau : Edgar debout, totalement éberlué, avec la capote « formule trois en un ». Imaginez-moi debout face à Edgar, nue et en transe, fixant intensément ce trio infernal, attendant la suite des événements et me demandant comment la capote allait se comporter. La réponse est MAL. Elle a tenu quelques secondes et est remontée d'un seul coup, comme un store dont on lâche précipitamment la ficelle, en lui arrachant la moitié des poils. Edgar a hurlé.

« Mais tu es folle ! Tu m'as fait un mal de chien !

— Quelle chochotte ! Tout ce ramdam pour trois malheureux poils !

— On ne t'a jamais appris à mettre des capotes ?

— Non, justement. Chacun son boulot. »

Edgar a fini par en sortir une à sa taille de la poche de son pantalon. Il l'a mise lui-même, tout seul comme un grand, et nous avons enfin pu commencer notre festival. Si je devais mettre à Edgar une note sur dix sur l'échelle des « meilleurs coups de mon palmarès », je lui mettrais volontiers un neuf. C'est une des plus hautes notes que j'ai jamais mises. C'est bon signe.

8

Très vite, nous avons pris l'habitude de passer nos soirées et nos nuits ensemble. En moins d'une semaine, il s'était installé chez moi. Maintenant, il a les clés et on dit « chez nous », même s'il a conservé son appartement dans le XVIe. Je suis aux anges de le retrouver chaque soir dans mes meubles et mes draps, mais il a fallu que je me fasse au fait que désormais, on vit à deux. Il était donc pressant de changer mes petites manies de célibataire endurcie. J'avais pris l'habitude de faire certaines choses quand j'étais seule : ne pas toujours me démaquiller le soir, laisser traîner mes culottes sales, me percer les points noirs devant la télé, ne pas me raser les jambes ou les aisselles pendant des semaines, mettre les mêmes chaussettes plusieurs jours de suite, dormir avec le tee-shirt dans lequel j'avais mijoté la journée et j'en passe. J'ai dû changer. Radicalement. Chaque matin, je mettais mon réveil bien avant l'heure à laquelle Edgar devait se lever parce qu'il était hors de question qu'il me voie telle que j'étais après quatre heures ou même dix heures de sommeil. Plutôt me faire empaler que de lui confesser qu'à 8 heures du matin, alors que je faisais semblant de somnoler à ses côtés, j'avais depuis plus d'une heure pris ma douche et nettoyé mes dents, une à une, au fil dentaire. Je ne pense pas une seule minute qu'il ait été dupe car je ne connais pas beaucoup de gens qui sentent le dentifrice et le savon après une nuit de sexe enflammée. Mais s'il s'en doutait, il n'a rien dit. J'étais persuadée qu'il fallait qu'à tout moment je sois fraîche et dispose si je voulais garder Edgar plus d'une nuit. Je crois surtout que je n'avais pas confiance en moi. Edgar n'a jamais fait semblant, lui. Il n'a jamais éprouvé le besoin de se lever avant moi pour m'épargner sa bouille au petit matin et dès le premier jour, j'ai su à quoi m'en tenir. C'était d'autant plus malhonnête de ma part de tricher que le jour où j'ai décidé de faire une vraie grasse matinée, il a découvert qu'il passait ses nuits depuis quelques semaines à côté de Quasimodo alors qu'il s'endormait dans les bras d'Esméralda. Ça l'a beaucoup amusé, en fait. Il est même allé jusqu'à m'affirmer qu'il me trouvait encore plus jolie comme ça, sans chichis.

Au début de notre quotidien, les week-ends étaient les pires. Même si aujourd'hui je les attends avec impatience, j'en ai bavé et suis passée à plusieurs reprises à deux doigts de la cystite ou de l'occlusion intestinale. La semaine, Edgar partait travailler vers 8 heures, j'avais donc du temps, avant d'aller au bureau moi aussi, pour faire ce que je n'aurais jamais osé faire devant lui. Pipi, décoloration moustache et tout le toutim. Mais le week-end, nous étions ensemble non-stop... Rien de plus banal qu'un petit pipi ? Eh bien, chez moi, faire pipi avec mon homme dans les parages, c'est aussi compliqué que de grimper en haut de l'Himalaya, sans guide et avec des tongs. Surtout quand l'homme en question vous met bien à l'aise quand enfin, à l'article de la mort, vous vous décidez à y aller.

« Tu vas où ?

— Nulle part, je reviens.

— Tu vas aux toilettes ?

— Non, pourquoi tu dis ça ?

— Tu n'y vas jamais ?

— Si, mais pas là. Je vais juste me laver les mains, je peux ? »

Résultat, j'ai passé beaucoup de temps dans la cuisine à faire couler l'eau du robinet de l'évier et à me retrouver le fessier collé sur le rebord en aluminium complètement gelé, les jambes pendant dans le vide. J'avais déjà sur le bout de la langue un « C'est pas ce que tu crois ! » prêt à lui sauter au visage, s'il avait décidé de venir me faire un petit coucou.

Il a décidé. Il est venu et m'a fait un coucou. J'ai eu tellement honte ! Il m'a clairement fait comprendre que j'avais passé l'âge de ces simagrées et que j'étais grotesque de faire tout un fromage pour un pipi. Edgar, comme pour le reste, était totalement à l'aise et avait depuis longtemps dépassé le stade anal dans lequel je pataugeais allégrement. Je trouvais cela fantastique qu'il assume aussi bien et je le voyais souvent prendre un journal avant d'aller s'enfermer plus de vingt minutes là où le roi va seul. J'en étais tout admirative. Quel homme !

Au fil des jours, faire pipi était devenu quasiment un jeu d'enfant, mais faire « le reste » était une autre paire de manches. Si j'avais eu le choix, je me serais fait cautériser toute cette zone sinistrée de mon anatomie. Je devais prendre sur moi pour ne pas me retrouver aux urgences de l'hôpital le plus proche avec l'intestin en bandoulière. J'ai abusé lourdement du « Je descends, tu veux quelque chose ? » qui n'a d'intérêt que quand les cafés sont encore ouverts et que vous n'avez pas à consommer pour utiliser le pipi-room. J'ai aussi passé des heures à faire couler l'eau de la baignoire et à tapisser le fond de la cuvette de rouleaux entiers de PQ pour éviter qu'il n'entende les bruits ô combien gracieux qui en disaient long sur mon activité du moment. J'ai arrêté net le jour où j'ai bouché les toilettes et qu'il a fallu appeler un plombier. Décidément, les histoires galères de cuvettes, ça me poursuit ! Je me souviens, c'était un week-end et Edgar était là. C'était mon jour de chance, je suis tombée sur un plombier qui venait d'avaler une réserve de clowns.

« Ben dites donc, c'est bouché de chez bouché, votre truc ! Vous y avez mis quoi, là-d'dans, un tee-shirt ? »

Non, une nappe, abruti.

« Elle a juste fait pipi ou autre chose, la mam' zelle ? »

Seigneur, ayez pitié de ce pauvre pécheur qui va finir lui aussi dans la fosse septique.

« Ah non... J'm'excuse, ma p'tite dame, c'est pas du pipi ; vu l'bazar, c'est aut'chose ! Mais j'vais pas vous faire un dessin, hein ? Ah, ah, ah... C'est juste de la matière... comment qu'on dit déjà ? Vous inquiétez pas, ça va me revenir. »

Je n'en doute pas.

« Faites pas cette tête-là, c'est la nature, vous savez. Tout le monde il fait caca, même les animaux.

— C'est ça, ma grand-mère aussi. Bon alors, vous pouvez réparer ou pas ? On va pas y passer la nuit.

— Comme je dis toujours, avec Paul Maroil, vos vécés sont au poil ! »

Edgar s'amusait follement et ne me quittait pas des yeux. Moi, je ne quittais pas des yeux le plombier et j'étais violette d'humiliation. Je dois vous dire que cette « intervention » m'a guérie. Depuis, je vais aux toilettes comme tout le monde, même quand Edgar est à la maison. Je fais juste couler, en même temps, de l'eau dans le lavabo et fais semblant de tousser au moment opportun. C'est plus économique que les bains et ça coûte moins cher en papier.

9

Vous l'aurez compris, j'étais prête à tout pour plaire à Edgar, et surtout prête à tout pour le garder. Les premiers temps, je me suis appliquée à cultiver l'art d'adorer ses copains. Honnêtement, je n'ai pas eu de peine à les apprécier car ses amis sont des gens bien, sincères, fidèles et aimants. Néanmoins, je n'ai reculé devant aucun sacrifice pour mettre tout ce petit monde dans ma poche. Je me suis tapé sans broncher les matchs de foot ou de rugby, les *pasta parties* à 3 heures du matin à la maison, les beuveries à la bière et les plans baby-foot dans une ambiance colonie de vacances pour lobotomisés. Ça a fonctionné, les amis d'Edgar trouvent qu'il n'a pas été aussi bien depuis des lustres. Je suis heureuse de les avoir avec moi et pas contre moi. Supporter sa meilleure amie, Aglaé, et la trouver fabuleuse constituaient également un passage obligé si je voulais m'autoriser à penser à un avenir avec Edgar. Ah, les meilleures copines, comme je m'en méfie ! Particulièrement celles toujours pas casées qui vivent dans l'ombre de nos fiancés, connaissent par cœur leurs goûts et leurs couleurs, savent à quoi ils sont allergiques, ont le double de leurs clés, ont des milliers de souvenirs communs, sont disponibles, à l'écoute, attentives, câlines, drôles, connaissent les amis mieux que quiconque, la famille, de la grand-mère au neveu par alliance, les parents, la maison de vacances où se succèdent les générations depuis deux siècles. C'est une race à éviter autant que possible. Ces pimbêches distillent leur venin l'air de ne pas y toucher, balancent sur vous des atrocités avec une voix suave et envoûtante et sont capables de semer le doute dans l'esprit de l'homme le plus épris de la terre. Le vilain serpent du *Livre de la jungle* qui murmure sans cesse en zozotant, tout en vous regardant droit dans les yeux, des « Aie confiance » n'a rien à leur apprendre dans le domaine de la ruse, de la perfidie et de la malhonnêteté. Jusqu'à ce qu'Aglaé pointe le bout de son nez et prenne un malin plaisir à me pourrir l'existence, je trouvais que ma relation avec Edgar était sans problème. J'irais même jusqu'à dire qu'elle était d'une facilité et d'une simplicité déconcertantes. Oui. Sauf qu'Aglaé n'a pas eu la bonne idée de mourir subitement et tragiquement. C'est fâcheux. Je sais que la roue tourne et que les gens perfides finissent toujours par payer l'addition un jour ou l'autre. Vous devriez la voir, je vous jure. Elle est... comment dire ? Elle est... tellement belle, cette garce, qu'elle en est presque irréelle. Elle est mince, très bien faite. Elle a des milliers de taches de rousseur sur le corps et le visage. Elle a des longs cheveux roux un peu bouclés qui lui tombent en cascade sur les épaules et des yeux presque vert émeraude, en amande. Elle a une peau claire, fine, d'un joli ton abricot, sans un seul bouton et avec des pores tellement serrés que je ne suis même pas certaine qu'elle en ait. Elle dirige sa propre agence de relations publiques et connaît la Terre entière. Elle fait aussi à peu près cinquante centimètres de plus que moi. C'est la goutte qui fait déborder mon vase et qui la rend somptueusement antipathique à mes yeux.

Je ne me suis pas assez méfiée d'elle quand je suis entrée par la grande porte dans la vie d'Edgar. J'étais là, toute prête à agrandir mon cercle d'amis, à accepter ce nouveau fiancé avec son passé tout entier, parfaitement consciente qu'à trente-sept ans, un homme doit avoir un passé. C'est obligatoire. Sinon, c'est un cas social. J'avais envie d'être acceptée, aimée, et de faire partie de cette grande « famille », moi aussi, celle qui passe ses vacances dans le Lot tous les étés depuis deux cents ans. Je crois qu'il n'est pas exagéré de dire qu'Aglaé avait d'autres desseins pour moi. Blurp... J'aurais dû me douter qu'une femme de trente-quatre ans, belle, sexy, carriériste, riche, indépendante, entourée d'hommes, qui n'est pas mariée, pas fiancée et n'a même pas de casse-croûte une fois de temps en temps, *dixit* Edgar, a forcément un lourd problème existentiel. Quel que soit le sien, il consiste principalement à me pourrir la vie. Dès que nous nous sommes vues, Aglaé s'est tout de suite montrée sous son meilleur jour. Elle n'a pas arrêté de me prouver qu'elle avait un ascendant sur Edgar lié au fait qu'elle l'avait connu des années auparavant. Son antériorité l'autorisait donc à être méprisante.

« Edgar chéri, tu aimes toujours les pâtes à la ricotta ? Tu te souviens de l'été 1984, quand on est tous allés à Florence ? C'est là qu'on en a mangé pour la première fois. Ça restera nos meilleures vacances. »

J'avais un « Appelle-le chéri encore une fois et tu prends ma main sur la gueule » sur le bout de la langue mais, même si je l'ai pensé très fort, je n'ai rien osé répliquer. C'est tout moi, ça.

« Quoi, Clarence ? Tu ne sais pas que...

— Non, moi, c'est Garance.

— Ah, oui. Tu ne sais pas qu'Edgar est allergique aux betteraves ? À l'époque où on sortait ensemble, il a eu une crise, je te jure, c'est vraiment impressionnant. Tu te souviens, Edgar chéri ? »

Si elle continue, je la tue.

« Ah, parce que tu es sortie avec Edgar ? Tu ne me l'avais pas dit, ça, Edgar.

— ...

— You-ouh ! Edgar, je te parle !

— Excuse-moi, je pensais à autre chose. Tu disais quoi, mon cœur ?

— Je disais à Garance que tu étais allergique aux betteraves.

— Je ne voudrais pas trop m'avancer, Aglaé, mais je crois que c'était à moi qu'il parlait. »

Je n'ai pas eu le temps de demander à Edgar si c'était bien le cas puisqu'il en a profité pour se lever de table et s'éclipser. L'occasion était trop belle pour que l'autre n'en rajoute pas une petite couche.

« Je suis désolée, Garance, je pensais que tu le savais au sujet de nous deux. J'oublie toujours qu'il ne se confie jamais à ses copines parce qu'elles sont toutes jalouses de moi après. Tu comprends, tout le monde se demande pourquoi on ne sort plus ensemble alors qu'on partage tout et qu'on s'aime tant.

— Et alors, pourquoi ?

— Tu ne pourrais pas comprendre, c'est trop compliqué.

— Essaie, je n'ai que huit neurones mais si je m'applique à les faire marcher tous en même temps et si tu vas lentement...

— Non, je t'assure, vis-à-vis d'Edgar, ça me gêne. C'est moi qui suis partie alors...

— Et ça papote, et ça papote ! Dès qu'on laisse deux filles ensemble deux minutes, elles jacassent ! Vous parliez de quoi ?

— Aglaé allait m'expliquer pourquoi elle t'a lourdé.

— Et au fait, Edgar chéri, tu as des nouvelles de Miguelito et de Betty ? La dernière fois que je les ai eus en ligne, Fernando avait quatre ans et Maria trois mois. Ils vont bien ?

— Ils sont toujours à Madrid. Je leur ai parlé il y a une dizaine de jours et il est question qu'ils se réinstallent à Paris.

— C'est qui, Miguelito et Betty ?

— Et Enrico et Eléna ? Ils sont toujours à Milan, non ? Elle a eu son bébé ou pas encore ?

— C'est qui Miguelito et Betty ?

— Tu sais quoi, Edgar chéri ? On devrait demander à Miguelito d'organiser une fête à Madrid. Ça me ferait plaisir de les revoir tous : Claude, Illan, Jaïme, Iris...

— Parle à mon cul, ma tête est malade.

— Qu'est-ce que tu as dit, mon cœur ?

— Rien. J'ai rien dit. Laisse tomber. »

10

J'aimerais tellement pouvoir me lâcher, exprimer tout le mal que je pense d'elle et faire passer des messages à Edgar mais il est totalement hermétique à toute forme de critique quand il s'agit de sa grande copine. Heureusement que je peux me défouler avec mes amies et parler d'Aglaé sans risquer de me faire jeter. Là, au moins, elle en prend plein son grade. Nous faisons des dîners régulièrement toutes les cinq, Alizée, Lætitia, Marine, Julie et moi, principalement dans le but de ne parler que de nos mecs et de passer en revue ce qu'ils ont fait, ce qu'ils auraient dû faire ou ce qu'ils prévoient de faire et que nous attendons de pied ferme. En ce moment, Aglaé est au menu et on est capables de passer des heures à discuter de cette débile en se poilant. Je peux vous dire que ça fait du bien et que je ne sais pas comment je ferais sans elles...

Alizée est blonde aux yeux bleus, grande, très élancée et elle a une classe folle. Elle est décoratrice. Elle a quitté Gilbert il y a cinq mois, un homme marié dont elle est restée la maîtresse pendant quatre ans. Chaque semaine, il lui promettait qu'il allait tout dire à sa femme dès qu'il sentirait que c'était le bon moment. Elle s'est lassée d'être prise pour une abrutie et d'attendre le « bon moment » qui ne viendrait jamais. Elle l'a quitté du jour au lendemain. Il a ramé comme un fou pour la récupérer, jurant qu'il allait tout avouer à bobonne car l'idée de la perdre était encore plus douloureuse que celle de perdre sa femme et sa famille. Elle lui a donné un mois pour régler sa situation. Un mois plus tard, il lui a annoncé sur le ton de quelqu'un qui vient d'apprendre la mort de son meilleur ami que sa femme était enceinte de deux mois. Depuis, avec les hommes, elle est « fermée pour travaux », comme elle dit, et le ravalement n'est pas près d'être achevé.

Julie est adorable autant mentalement que physiquement. Petite, blond vénitien, aux yeux gris-vert, c'est une poupée avec un sourire à tomber à la renverse. Elle a une vraie passion pour les fleurs et a ouvert une boutique qui marche très bien. Julie tombe soit sur des machos qui la maltraitent, soit sur des faibles qui deviennent dingues d'elle en deux minutes mais qu'elle n'admire pas. Elle s'accroche aux machos qui ne l'appellent pas quand ils promettent, qui refusent de rendre des comptes sur leurs emplois du temps et qui disparaissent pendant quatre jours, quelquefois une semaine, sans donner signe de vie. En acceptant leurs règles du jeu, en ravalant sa colère, elle croit pouvoir les faire changer et les rendre amoureux. En général, après un macho, elle passe à un faible sur lequel elle a le pouvoir, et c'est elle qui manie les rênes. Elle quitte le faible dès qu'elle prend conscience que cette fois, c'est elle qui dépasse les bornes et que la loi du talion est vraiment une loi barbare. En ce moment, elle n'a personne dans sa vie, mais elle ne désespère pas de rencontrer un homme normalement constitué qui ne soit ni un enfoiré ni une lopette.

Lætitia est très brune aux yeux noisette, presque dorés. Elle vit avec Eric dont elle est raide dingue depuis deux ans et qu'elle a rencontré dans le lieu le moins sexy de la planète : un supermarché. Elle ne veut pas se marier pour le moment bien qu'il ait déjà fait sa demande en bonne et due forme. Elle ne veut pas non plus avoir d'enfants, mais à l'écouter, ça, c'est pour toute la vie et pas juste « pour le moment ». Professionnellement, elle cherche toujours à monter son agence de communication. Après notre fiasco commun que je vous raconterai plus tard, elle s'est mise en contact avec des Belges qui pourraient bien devenir ses associés. On croise toutes les doigts pour que ça se concrétise.

Et enfin Marine. Marine ressemble à un ange. Blonde comme les blés avec les mêmes boucles qu'elle avait déjà petite, elle a des yeux bleus superbes et des cils qui n'en finissent pas. De nous toutes, à l'unanimité, elle est la plus ronde et la plus sexy. Des cinq, c'est la seule qui ne bosse pas. Elle est mariée depuis quatorze ans à Luc, un type de douze ans son aîné, qui est extraordinaire et amoureux comme au premier jour. Elle l'a rencontré quand elle n'avait que dix-sept ans. Ils veulent des enfants mais n'arrivent pas à en avoir. Pourtant, tout est physiologiquement normal, chez elle comme chez lui. Ils prennent tous deux leur mal en patience et ont une force incroyable : celle de vivre les événements avec beaucoup de sagesse et de recul.

Maintenant que vous savez qui sont « les filles », je vais pouvoir me reconcentrer sur le sujet qui me préoccupe le plus : Aglaé. Elle me mine. Avec son statut d'indétrônable, elle ne cesse de me faire comprendre que j'ai le derrière sur un siège éjectable, contrairement à elle. Je sais qu'elle l'aime encore. Les femmes sentent ces choses-là. Elle attend son tour sagement en détruisant ce que moi j'essaie de construire. Elle espère qu'un jour Edgar se rendra à l'évidence et l'épousera, elle. Et pas moi. Pour savoir à qui j'avais vraiment affaire, j'ai réussi à obtenir, par Arthur, le numéro de téléphone d'une de ses amies, qui se trouve être aussi une ex d'Edgar, qui a franchement Aglaé dans le collimateur. Je connaissais un peu Sandra sans pourtant être très proche d'elle. Suffisamment, en tout cas, pour ne pas être gênée de l'appeler.

« Écoute, Garance, c'est simple : ce qu'elle veut, c'est ne pas t'avoir dans son paysage. Tu sors avec Edgar, elle ne l'a plus pour elle toute seule. Donc tu deviens gênante. Et crois-moi, ce n'est pas elle qui va se lasser. Cinq ans après, je la croise dans la rue, cette fille, j'ai encore envie de lui mettre mon poing sur la figure.

— Ah ? Toi aussi ? Je peux te demander ce qu'elle t'a fait pour que tu lui en veuilles encore ?

— C'est à cause d'elle qu'il m'a jetée alors qu'on était ensemble depuis six mois.

— Qu'est-ce qu'elle a fait ?

— Elle a été lui raconter qu'elle m'avait vu embrasser goulûment un mec dans la rue.

— Et c'était vrai ?

— Bien sûr que non, mais Edgar ne m'a pas crue. Il lui fait une confiance aveugle. Il m'a joué la scène du fiancé cocu et trahi, et il s'est barré. Mais si tu veux mon avis, il s'est servi de ça comme prétexte pour me quitter. On s'engueulait depuis des semaines pratiquement tous les jours à cause d'elle.

— Quelle garce ! Belle comme elle est, pourquoi il n'en veut pas, Edgar ? Tu sais, toi ?

— La seule fois où j'en ai parlé avec lui, il m'a répondu qu'elle avait un souci côté sexe.

— Tu crois qu'elle est frigide ?

— C'est possible. »

J'ai eu du mal à arrêter Sandra quand elle s'est lancée dans une tirade sur la très relative honnêteté d'Edgar qui, lui aussi, cachait bien son jeu. Elle a cru bon de me mettre en garde, précisant qu'elle avait déchanté quand elle avait ouvert les yeux et découvert qui il était vraiment. Edgar n'avait aucunement l'intention de s'engager, mais il avait su trouver les mots pour la manipuler en lui faisant croire que leur histoire se conjuguerait au futur. Chou blanc. Aujourd'hui, Sandra est mariée et elle a deux petits garçons adorables. Tout va bien et elle est heureuse. Je trouve que c'est une belle revanche sur l'autre qui, à part son travail, son physique, son argent et sa notoriété, n'a rien qui puisse faire envie à qui que ce soit. À part à moi.

Pour Edgar, comme d'habitude, c'est moi qui vois le mal là où il n'y a que douceur et bonté. Je suis jalouse de son amie, voilà c'est ça, et je fantasme. Je suis jalouse parce que l'autre le connaît mieux que moi. Il faut que je prenne le temps de l'apprivoiser, car elle est comme un petit oiseau fragile, au fond. Mais oui, c'est ça. Il faut aussi que je me mette à sa place et que je comprenne que cette pauvre Cosette des temps modernes a vécu une enfance difficile dans un climat hostile et qu'il n'y a pas de fumée sans feu. La souffrance engendre l'agressivité, et la beauté, la convoitise.

« Elle a toujours été trop belle pour être aimée pour ce qu'elle était au fond d'elle-même et pas pour l'image qu'elle renvoyait. Tu comprends ?

— Non, justement je ne comprends pas.

— C'est parce que ça ne t'est jamais arrivé, c'est tout.

— C'est un des avantages quand tu es un boudin. Les gens t'aiment pour toi, pas pour ton physique. »

J'ai bien tenté, habilement cela va de soi, de lui faire admettre qu'elle était caractérielle, mesquine, méchante, aigrie, manipulatrice, machiavélique et pourrie, mais non. C'est une fille fan-tas-ti-que et très riche intérieurement, qui vaut la peine d'être connue.

« Je te jure, elle t'adore. Tu verras, dès que tu la connaîtras mieux, toi aussi tu vas la trouver extra. »

11

Maintenant que vous connaissez un peu plus ma vie et l'homme qui la partage, je vais pouvoir reprendre le fil de l'histoire à la date d'aujourd'hui, 22 janvier 2004. Ce matin, Edgar s'est levé tôt, a pris sa douche, son petit déjeuner, un café noir légèrement sucré, deux tartines beurrées avec de la confiture, quatre fruits des bois, et est parti travailler sans faire de bruit et sans oublier le petit câlin que je lui réclame tous les matins. Edgar n'est pas très câlin, mais je le suis pour deux. Il est aussi vulcanologue, ce qui n'a rien à voir. Je sais très bien ce que vous pensez : « Et pourquoi pas Superman, pendant qu'elle y est ? » Je comprends, j'ai eu la même réaction et j'ai même pensé qu'il ne devait pas être débordé de travail par les éruptions volcaniques françaises du moment. S'il y avait eu un risque qu'un de nos volcans ait envie de se dégourdir les pattes, nous en aurions tous entendu parler cent fois par jour, non ? Rassurez-vous, mon chéri veille. Il m'a affirmé qu'aucune éruption française n'était au programme des huit prochains millénaires. Enfin, je crois. Au bout d'un moment, ça me soûle, les volcans, et je décroche. Edgar étudie ceux du monde entier, éteints ou encore en activité. Il a son bureau en France, c'est tout. Il part plusieurs fois par an rejoindre des expéditions à l'étranger et peut rester jusqu'à trois mois absent.

Comme les pigeons, Edgar est un grand voyageur. Ça va être dur pour moi la prochaine fois qu'il va devoir partir mais en principe, rien n'est prévu avant le mois de juin, même si Aglaé m'a soutenu le contraire. Au début, je me moquais gentiment de son boulot en racontant à qui voulait l'entendre qu'il avait trouvé la bonne planque pour se la couler douce et buller en se faisant payer pour ça. Mais non. Son métier est un vrai métier, pas un passe-temps, et je trouve qu'il a une chance incroyable de faire un truc aussi passionnant. Edgar déteste que j'utilise le mot « truc » quand je parle de ce qu'il fait, il considère que c'est une façon de le dénigrer. Il pense aussi que ceux qui emploient le mot « truc » sont des gens paresseux qui ne font pas l'effort de chercher le mot juste. C'est vrai. C'est plus simple et moins fatigant de dire « truc ».

Croyez-moi, à trente-sept ans, quand on lui demande ce qu'il fait dans la vie, ça en jette. Je me suis souvent questionnée : pourquoi les personnes que l'on rencontre pour la première fois éprouvent toujours le besoin de savoir ce qu'on fait dans la vie ? À croire que de la réponse dépend la suite d'une conversation. Ou sa fin. Qu'est-ce que ça peut leur faire de savoir que je suis éleveur de boucs ou pédégère d'une multinationale ? Edgar est plus souple que moi et comme il aime parler de lui, il saute sur toutes les occasions pour dire qu'il est vulcanologue. Il a un don pour raconter les histoires et a toujours des centaines d'anecdotes étonnantes à faire découvrir à son auditoire qui, inévitablement, est subjugué. Il lui arrive fréquemment de me couper la parole les rares fois où je me décide à participer au débat ou à signaler ma présence. « You-ouh ! Moi aussi, j'ai un truc à dire ! » Et quand quelqu'un me pose une question, il n'hésite pas à répondre à ma place. Quelquefois, quand il me rabat le caquet devant ses amis, j'ai le sentiment qu'il a honte de moi. Mais je me trompe. Il m'aime.

« Et toi, Garance, tu fais quoi ?

J'élève des boucs.

– Moi ?

— Elle ? Rien. Garance est au chômage. Quand je l'ai connue, elle bossait, mais deux mois après notre rencontre, elle a claqué la porte de son bureau.

— Et avant, tu travaillais sur les volcans aussi ?

— Oh, non... Moi, tu sais, les volcans...

— Les volcans comme le reste d'ailleurs, mon cœur. Garance est une glandeuse professionnelle ! Elle m'attend à la maison, c'est son métier.

— Quelle chance tu as d'être tombée sur un homme comme lui ! C'est tellement rare de rencontrer des gens passionnés comme ça par leur boulot. On l'écouterait pendant des heures nous parler de l'Etna. Tu dois être fascinée, non ? »

En ce qui me concerne, l'Etna commence sérieusement à me taper sur le système.

Quand, sur le chemin du retour, je lui soutiens, preuves à l'appui, qu'il me dévalorise dès que nous sommes en public, il me soutient à son tour que je me fais des idées, que je suis parano, et il déploie des trésors d'ingéniosité pour me faire oublier ma rancœur. Alors, il me fait l'amour et je m'endors rassérénée. Il a raison, ces derniers temps j'ai une fâcheuse tendance à voir le mal partout et à broyer du noir. Je l'aime, et même si je suis envieuse de sa capacité à attirer les foules, je suis fière de lui et de ce qu'il dégage. Seulement, je ne peux pas nier qu'il m'arrive de me sentir toute petite à ses côtés, et presque insignifiante. Presque accessoire, devrais-je dire. Quand Edgar est là, les regards vont vers lui. Pas vers moi. Je disparais pour n'être plus que « la petite copine d'Edgar ».

Pourtant, Edgar n'a pas menti. Si je ne vous ai pas encore parlé de mon métier, c'est que je n'en ai pas. Plus, pour être exacte. Je suis effectivement au chômage, voilà pourquoi j'ai tout ce temps libre pour cogiter et me mettre la rate au court-bouillon. Edgar m'a connue avec un job et des horaires à rallonge. Il m'arrivait fréquemment de rentrer à la maison après lui. Puis la tuile dans l'engrenage et je me suis retrouvée sur le carreau. Mais aujourd'hui n'est pas un jour comme les autres car cet après-midi, j'ai un entretien pour un nouveau boulot. Il est 14 h 10 et mon rendez-vous est à 17 heures à la Bastille. Je croise les doigts pour que tout se passe bien et que M. Morraud, le responsable du recrutement, n'ait pas la bonne idée d'appeler mon ancien employeur pour avoir des références. Il est vrai que je ne postule pas pour être préceptrice à domicile, mais on ne sait jamais, le monde de la communication est petit.

J'ai travaillé pendant trois ans comme responsable d'édition dans une agence de communication parisienne. J'ai été licenciée il y a quatre mois pour avoir utilisé l'ordinateur de Luce Boulnais, la directrice du développement, sans y avoir été invitée. Son disque dur contenait tous les fichiers clients et prospects de l'agence depuis les dix dernières années, avec le nom de leur société, leur numéro de téléphone et le nom des directeurs général, financier et commercial. J'ai profité d'une longue pause déjeuner de la grosse Boubou pour pirater et copier sur disquette toutes les données. Vous êtes en droit de penser que mon geste est déloyal, méprisable et vil. C'est totalement vrai. Pour ma décharge, je vous dirai que ma démarche partait d'un bon sentiment. Souvenez-vous... Lætitia avait décidé de monter une agence. Il lui fallait un listing de clients potentiels pour être crédible et justifier de sa capacité à prospecter de nouveaux budgets auprès de la banque à laquelle elle demandait un crédit colossal. Elle m'a sollicitée pour un petit coup de pouce que je lui ai volontiers donné. J'ai eu tort, non pas de lui avoir rendu ce service, mais d'avoir utilisé ces méthodes. D'un autre côté, si j'avais tout simplement demandé une copie du fichier, on ne me l'aurait sûrement jamais donnée. Je me suis donc servie moi-même. Quand on commence dans le piratage et le vol, forcément, on y laisse des plumes. Il faut dire que si j'avais travaillé un peu moins dans l'urgence, je n'aurais jamais envoyé, du bureau, l'e-mail suivant. Non, jamais.

Lætitia,
J'ai le listing que tu voulais. J'ai profité du déjeuner de Boubou pour tout copier sur des disquettes. Il y en a au moins douze avec en moyenne quatre cents sociétés par disquette. J'ai piqué tous les noms de nos clients avec les contacts correspondant pour que tu ne patauges pas dans la semoule quand tu vas les appeler. Ceux en rouge sont les plus gros. Surtout, ne dis à personne, même pas aux filles, que c'est moi qui t'ai refilé le dossier si tu veux pas me retrouver au fond de la Vologne. Appelle-moi ce soir pour en discutailler. Bisous la grosse.

La journée est passée plutôt tranquillement jusqu'à ce que je sois convoquée, vers 18 heures, par le directeur des ressources humaines.

12

En entrant dans son bureau, j'ai évité de justesse la rupture d'anévrisme en voyant la tête de Luce. Visiblement, elle était de méchante humeur. Rectification, elle était hystérique de rage.

« Boubou, elle vous dit bien des choses. »

Oups...

Mon incompétence dans le domaine informatique m'avait sottement fait passer à côté d'un tout petit détail. D'après ce que m'a expliqué Alex Botella – le dégénéré des ressources humaines qui ne porte que des liquettes bon marché en acrylique, dont j'ai horreur comme Edgar –, le système informatique contenait un « mouchard ». J'ai cru comprendre qu'il s'agissait d'une puce ou d'un truc dans le genre, installée au cœur de l'unité centrale de tout le système utilisé par la société. Le rôle du mouchard est de détecter dans les mails, entre autres, certains mots tendancieux, voire louches. Et aussi, bien sûr, d'avoir un œil en permanence sur les infos entrant et sortant en cas de litige. Si j'ai bien compris, la plupart des sociétés en sont équipées.

« Tout va bien, Garance ? La journée a été bonne ?

— Euh... oui. Oui, oui, très bonne, Alex.

— Excellent ! Dites-moi, Luce, je pense à ça tout d'un coup, vous avez eu le temps de déjeuner, vous, ou pas ?

— Oh oui, je suis partie presque deux heures.

— Et vous, Garance, vous avez déjeuné ?

— Euh, oui...

— Avec qui ?

— Des amis...

— Ah ! Des amis. Vous voyez, Luce, elle a déjeuné avec des amis ! Quelle bonne idée ! Vous aviez déjà entendu parler du mouchard, Garance ? »

J'ai eu la force de bouger la tête de la gauche vers la droite, puis de la droite vers la gauche.

« J'imagine que c'est un non... Peu importe, après tout. Je vais vous expliquer plus clairement, avec des images concrètes, de quoi il s'agit exactement. »

Moi un peu sotte. Moi pas comprendre sans images.

« Alors voilà... Partons de l'hypothèse qu'une de nos employées, sur laquelle nous avons des doutes, écrive un mail qui contienne des informations très... comment dire... ? compromettantes. Ce n'est qu'une hypothèse évidemment, car je ne vois personne d'assez stupide ici pour prendre le risque de finir dans la Vologne. »

Arrrrgh... au secours !

« Eh bien, figurez-vous que si cela arrivait, en deux secondes nous pourrions localiser l'ordinateur d'où est parti le message. Et si la personne n'a pas été assez prévoyante pour l'envoyer du PC de quelqu'un d'autre, on a même son nom et l'adresse du destinataire !

— Lætitia va bien, au fait ?

— Comment ?

— Luce vous demande comment va Lætitia. J'imagine qu'elle va être déçue, pour les disquettes ? »

La Boubou se trémoussait de plaisir pendant que moi je les regardais à tour de rôle, comme si je venais de découvrir que mon nom figurait dans la rubrique nécrologique du journal *Le Monde*. J'ai eu trois minutes pour ranger mes petites affaires, rendre les disquettes, signer les papiers de licenciement pour faute grave, toucher mon chèque sans indemnités et déguerpir. Sans même un petit pot de départ.

Je me suis bien gardée de dire toute la vérité à Edgar. J'ai un peu transformé les faits et enjolivé la situation pour qu'elle tourne à mon avantage. Grosso modo, j'avais été piégée par un nouveau commercial qui voulait ma place et était le fils du comptable, actionnaire de la société depuis sa création. Il était évident que toutes les méchantes personnes avec lesquelles je travaillais s'étaient liguées contre moi pour me faire sauter. Moi, je n'avais rien fait du tout, à part être là au mauvais moment, entourée des mauvaises personnes, au mauvais endroit. J'avais donc décidé de partir de moi-même, la tête haute.

« C'est un coup monté ! Et tu sais quoi ? Je vais être plus forte qu'eux. Je ne vais même pas les attaquer. Je suis au-dessus de ça. »

Je ne connaissais Edgar que depuis deux mois mais il m'a félicitée d'avoir claqué la porte. Il m'a aussi suggéré d'envoyer le big boss aux prud'hommes et de l'attaquer pour... je ne me souviens plus du terme... « surveillance abusive des employés à l'aide de moyens illégaux ou infiltration abusive dans ma vie privée ». Je ne sais plus, mais il y avait le terme « illégal » dedans. Je ne me voyais pas argumenter devant un juge en expliquant que, certes, j'avais peut-être chouravé un listing d'une valeur de plusieurs millions de francs, mais que ce n'était pas une raison pour surveiller mes mails et que « qu'est-ce que c'est que ces manières, non mais ! ». Un peu léger comme défense.

Avec ma nouvelle version, celle utilisée pour la famille et les relations, au moins Edgar compatit. Même s'il ne dit rien, je le vois dans ses yeux. C'est vrai, il ne se bouge pas des masses pour m'aider à trouver un boulot, mais il me plaint. Lætitia était désespérée et n'a pas arrêté de culpabiliser en me répétant mille fois par jour que tout était de sa faute. C'est bien d'en avoir conscience. Quant à son prêt, il a été refusé. La pauvre. Ça faisait des mois qu'elle préparait son dossier pour la banque. Pauvre de moi aussi qui me retrouve au chômage mais sans allocations.

Penser à l'avenir à être plus fourmi que cigale.

Pour en revenir à mon entretien de tout à l'heure, forte de cette dernière expérience, j'appréhende un peu. Et si, avant de me recevoir, M. Morraud s'était renseigné sur moi ? Et s'il était copain avec Alex Botella ? Et si, et si, et si ? Et si ce job ne marche pas, j'en trouverai un autre ! Pour le loyer de l'appartement, il va falloir qu'Edgar prenne le relais car je ne vais pas pouvoir assumer seule longtemps. Il ne l'a pas proposé mais ça tombe sous le sens. J'ai confiance en lui. Je peux donc me permettre de prendre mon temps en étant difficile et sélective. J'ai cette chance-là, autant en profiter. Et s'il sait que je suis réellement dans la dèche, il m'aidera. Mais si, c'est évident, il m'aidera...

13

Il est temps de se bouger et d'arrêter de traînasser sinon je vais trouver le moyen d'être en retard à mon seul et unique entretien du mois. « Debout les crabes, la mer monte ! » comme qui dirait. C'était la phrase préférée de mon père, Paul. Toute notre adolescence, c'est avec ça qu'il nous a réveillées, mes sœurs et moi, vers 6 heures du matin, les samedis et dimanches de préférence. Forcément. Le week-end n'est pas fait pour la grasse matinée.

« Ah non ?

— Non. C'est fait pour profiter.

— De quoi ?

— Pour profiter, c'est tout.

— Ah bon. »

Voilà un exemple du type de dialogues que nous entretenons avec notre père. Il nous aime, c'est indéniable, mais il a toujours eu de sérieux problèmes de communication avec nous. Peut-être parce que nous sommes des filles et qu'il n'avait jamais eu que des frères. S'il n'avait pas été réformé, il aurait sans aucun doute été caporal-chef ou responsable clairon. Il a la discipline dans le sang, cet homme-là. Et il est un peu chiant sur les bords. Notre mère l'a quitté après plus de quinze ans de bons et loyaux services parce qu'elle en avait marre de vivre comme à l'armée. Elle est passée, à quarante-trois ans, d'un extrême à l'autre et s'est mise en ménage avec un décorateur branché de dix ans son cadet, totalement délirant et déjanté, qui ne s'habillait qu'avec des couleurs ultravives dans une version « hippy chic des années soixante-dix qui a des tunes et qui les dépense sans compter ». Il n'en fallait pas plus pour la séduire après tant d'années de bagne. Encore moins pour la désinhiber et la retrouver asphaltée, le nez dans la poudre, assise sur les genoux de son « Larry chouchounou », préparant des lignes de cocaïne aussi droites et régulières que si elle avait été l'inventeur du rail. Elle quittera Larry, le laissant fauché comme les blés, pour un banquier suisse qu'elle initiera à son tour à la coke et avec qui elle coule d'agréables vieux jours entre Gstaad ou Saint-Martin l'hiver, et Saint-Tropez l'été. L'argent ne fait peut-être pas le bonheur, mais il aide à faire les bons choix.

Notre père a recommencé sa vie avec une professeur d'économie qui est à peu près aussi amusante, vive, jolie et intéressante qu'une dorade. Rien que le nom déjà, il aurait dû se méfier. Marie-Simone. Les prénoms en disent long sur la personnalité de ceux qui les portent. On n'y fait jamais assez attention. À la retraite aujourd'hui, il a passé toute sa vie, comme sa Simonette, à donner des cours à des étudiants en maîtrise dans une université que je ne nommerai pas. Lui, c'était les mathématiques, elle, l'économie. Qui se ressemble s'assemble. Le métier de notre père illustre assez bien son schéma de pensée dans la vie de tous les jours. Cartésien. Rationnel. 1 + 1 = 2. Pas 3. Avec lui, pas de place pour les envolées spirituelles et les états d'âme. Ce qui était bon pour l'une de ses filles était également bon pour les autres. La psychologie construit des faibles et ne sert à rien d'autre qu'à perdre du temps. La vie est faite d'écueils. C'est une lutte. Il faut être fort. Avoir des principes. Ne pas se plaindre. Ne pas pleurer et relever la tête. Avec ça, il a toujours eu un côté : « C'est moi qui nourris la famille, alors estimez-vous heureuses d'avoir un toit au-dessus de vos têtes, un père et une mère qui vous aiment, et si vous n'êtes pas contentes, personne ne vous retient d'aller voir ailleurs. » À part ça, il est normal. Simonette et lui vivent désormais tous les deux loin du bruit et de la pollution parisiens, dans un ravissant pavillon de banlieue bien ringard avec de la vigne vierge bien verte sur les murs, un petit jardinet entretenu aux ciseaux à ongles au centre duquel trône un bel arbre d'où pend une petite niche en bois pleine de graines pour les oiseaux « qui ont froid aux pattes l'hiver », des chaises en plastique et une table autour de laquelle nous dégustons de bons petits plats mijotés avec amour les rares fois où nous venons, mes sœurs et moi, faire notre B.A. Je dois reconnaître qu'au contact de sa nouvelle recrue, notre père a beaucoup changé. Il s'est encroûté.

J'ai deux sœurs. L'aînée s'appelle Lilas et va avoir trente-neuf ans en mai. Le 27, pour être exacte. Elle fait à peu près ma taille, soit un peu plus d'un mètre soixante-deux, mais elle est plus fine que moi. Moins grosse, quoi. Plus sportive aussi, ça aide à rester mince. Elle a des cheveux hallucinants que je lui envie depuis que je suis toute petite. Châtains, longs jusqu'au milieu du dos, raides comme des baguettes et épais comme vous n'avez pas idée. Elle peut se les attacher en queue-de-cheval sans faire deux fois le tour avec l'élastique ! Elle a les yeux d'un bleu très rare et très clair. Je la trouve splendide. Et pas parce que c'est ma sœur. Elle est mariée à un type canon, Xavier, depuis maintenant douze ans, qu'elle a rencontré quand elle avait vingt-trois ans dans une boîte de nuit à Formentera, une petite île à l'époque très sauvage, en face d'Ibiza. Ils étaient bourrés tous les deux, mais entre deux relents d'alcool et trois joints, ils ont décidé de se revoir à Paris. Quatre ans plus tard, ils étaient mariés. Ils ont deux filles, Capucine et Rose, qui ont respectivement dix et huit ans. Eh oui, on aime les fleurs dans la famille !

Mon autre sœur s'appelle Tara, à cause *D'autant en emporte le vent*, film culte que notre mère a dû voir à peu près mille huit cents fois en tout. Elle va avoir trente-huit ans le 3 juillet et elle aussi est mariée. Elle a rencontré sa future moitié à un dîner où elle est allée vraiment à reculons. Victor, son mari, était là et il a eu un vrai coup de cœur pour ma sœur qui, de son côté, ne l'a pas calculé une seule seconde tellement il était éloigné de ses standards habituels. Après le dîner, il a pris son numéro de téléphone et l'a appelée tous les jours qui ont suivi leur rencontre. La conversation durait deux, trois minutes au début. Tara était flattée, mais un peu irritée aussi d'avoir un type dont elle ne voulait pas collé à ses basques. À la fin, ils passaient deux heures chaque jour à se parler de tout et de rien. Il lui a fallu plus de deux mois pour tomber vraiment amoureuse et se rendre compte que vivre sans lui n'était tout bonnement plus envisageable. Elle a craqué pour l'homme, pas pour son image. Depuis, elle a une fâcheuse tendance à me bassiner avec ses phrases bateaux sur l'amour, mais bon, c'est son rôle d'aînée, j'imagine.

« L'amour, ça ne vient pas comme ça d'un coup. Ça se mérite. Regarde Victor et moi, si j'étais restée sur ma position et les stéréotypes de mecs que j'avais dans la tête, je serais comme toi aujourd'hui. On s'en fout qu'il mette des chaussettes blanches avec des mocassins noirs, ça se change ça, et ce n'est pas une raison pour virer le mec. C'est pour ton bien que je dis ça.

— C'est très gentil mais maintenant je suis avec Edgar et tout va bien.

— Tu sais très bien ce que j'en pense. Tu t'arrêtes trop à des détails et tu passes trop vite sur l'essentiel. Il est parfait physiquement mais il lui manque l'essentiel pour que tu sois heureuse avec lui et tu le sais, j'en suis persuadée.

— Tu te trompes. Je suis extrêmement heureuse avec lui. Il est adorable, je l'aime et il m'aime. Merci pour tant de sollicitude mais tout va très bien. Et maintenant, la discussion est close si tu n'y vois pas d'inconvénient. »

Mariés donc depuis sept ans, ils ont deux filles eux aussi. Saskia, six ans, et Kyra, trois ans. Des anges. Mes quatre nièces sont des anges. Elles sont drôles, belles, intelligentes, mal élevées, culottées, espiègles, désobéissantes et insolentes. Je suis une tante complètement gâteuse. J'ai de la chance, elles me le rendent bien. Physiquement, Tara est très grande. Presque un mètre quatre-vingts. Elle tient ça de notre père. Ses yeux sont marron très foncé, presque noirs, comme ses cheveux qu'elle a portés toute sa vie à la garçonne. Elle a toujours eu un succès incroyable avec les hommes. Les vieux, les jeunes, tous sans exception. Elle est marrante comme tout et tellement bien dans sa peau qu'elle dégage des énergies positives tout le temps. Où qu'elle aille, les gens sont sous le charme.

Je suis née trois ans après elle. Le 25 juin 1969. Pas par accident, je vous rassure. Les parents voulaient avoir un garçon. Raté. Je n'irais pas jusqu'à dire qu'ils étaient déçus mais quand même un peu. Pas au point de ne pas me garder. Je vous ai dit au début que j'avais les cheveux très courts, que j'étais plutôt petite et toujours habillée comme un garçon. Maintenant, vous savez pourquoi. Aujourd'hui, je ne suis pas bien différente. Je suis toujours petite, grâce à Josiane j'ai de nouveau les cheveux courts, et j'ai trois, quatre kilos de trop. L'avantage d'être traitée comme un mec petite, c'est que j'ai appris à grimper aux arbres très tôt, à me battre très tôt, à faire du foot très tôt et à piquer des Mobylette très tôt. Le fait d'avoir organisé des concours de « celui qui ferait pipi debout le plus loin » avec les copains de ma classe ne m'a probablement pas aidée non plus à me sentir très « femme ». C'est peut-être pour ça que j'ai eu mon premier amant très tard. Problème d'identité sexuelle, sans doute...

14

Le prétexte qu'avait trouvé notre père pour nous imposer un réveil si matinal avec ses crabes à la con, c'était le golf. Il avait bien essayé de faire le même plan à notre mère « pour que nous puissions tous, en famille, passer un moment de vrai bonheur en plein air, choisis ton jour, ma chérie, le samedi ou le dimanche à l'aube, c'est toi qui vois », mais elle l'avait tellement envoyé balader qu'il n'a jamais osé récidiver. Il a bien fait.

« Vous avez vingt minutes pour vous préparer. On se dépêche, hop, hop, hop, les filles, et je ne veux voir que des visages souriants !

— On est fatiguées.

— Fatiguées de quoi ? Jusqu'à preuve du contraire, je suis le seul qui bosse dur dans cette famille, et qui pourrait avoir le droit de me plaindre. Allez, debout !

— Ça va, deux minutes.

— J'ai dit tout de suite ! Ne m'obligez pas à venir vous le répéter. »

À 6 h 30, le golf, croyez-moi, c'est un peu tôt. Quoi que vous fassiez à 6 h 30, d'ailleurs, toute activité est un peu prématurée, et à l'heure où des milliards d'êtres humains faisaient la grasse matinée, nous prenions la route vers le gazon maudit.

« Ah ! Rien de tel qu'un petit dix-huit trous pour démarrer du bon pied. C'est le meilleur moment de la journée. Pas vrai ?

— ...

— Pas vrai ? Je vous parle, on se réveille !

— On ne dort pas. Avec la musique à fond et l'odeur du cigare, de toute façon, c'est impossible.

— Alors, pas vrai ?
— Si, si.
— Si qui ?
— Si, papa. »

Le chœur des vierges, c'était nous. « Oui, papa », « Si, papa » était ce que nous savions dire le mieux. « À vos ordres » aussi mais ça, c'était entre nous, quand nous l'imitions le soir en hurlant de rire, avant de nous endormir.

Six ans plus tard, j'ai arrêté le golf alors que j'avais un excellent handicap. J'avais tout fait comme il m'avait dit. J'avais passé des années à jouer sous la pluie, en plein soleil ou sous un vent à décorner les bœufs. À l'aube. Tout ça sans broncher. Du jour au lendemain, j'ai refusé de jouer. Mécontent ne serait pas approprié si je devais décrire sa réaction. Je lui ai tenu tête. Il ne m'a pas parlé pendant deux mois, ne m'a pas sermonnée une seule fois sur mes médiocres carnets de notes, ne m'a pas interdit de sortir, a continué à me donner mon argent de poche, m'a laissée fumer devant lui. Tout ça pour me montrer qu'il se désintéressait totalement de ma petite personne. Je crois qu'il comptait sur notre mère pour qu'elle me fasse entendre raison mais malheureusement pour lui, elle était depuis quelque temps déjà perchée dans la huitième dimension.

À la vue d'une banale petite cuillère, d'une brosse à dents ou de tout autre objet usuel parfaitement anodin, elle se mettait à rire très fort, comme si c'était la chose la plus amusante qu'il lui ait été donné de voir de toute son existence. Elle réagissait pratiquement à l'identique avec notre père, se moquant ouvertement de son mauvais caractère et l'appelant « mon commandant ». Elle lui tirait la langue chaque fois qu'elle passait à côté de lui. Il était offusqué par son attitude car peu habitué à l'indiscipline et encore moins à la bêtise mais ne pipait mot. Le choc, sans doute. Quelques jours plus tard, elle avait décidé de ne plus lui parler du tout et ne communiquait avec lui que par lettres ou petites notes.

« Il va falloir que tu comprennes, mon très cher Paul, que ça fait quatorze ans que tu m'emmerdes, que je n'en ai rien à cirer de tes états d'âme et que, de toute façon, le golf, je te l'ai toujours dit, je trouve ça mégachiant. Tes filles aussi. Voilà. »

Un an plus tard, elle le quittait. Entre-temps, elle s'est mise à parler avec nous, ses filles, comme si nous avions toujours été ses meilleures copines. Elle ne s'était jamais sentie aussi proche de nous que maintenant. Sous-entendu : maintenant qu'elle ne prenait plus le parti de son mari comme elle le faisait depuis toujours. Depuis que mon père ne m'adressait plus la parole, elle était devenue bavarde pour deux. Elle était sur une mission qui consistait à rattraper le temps perdu, disait-elle.

Petite dernière d'une famille de quatre enfants, dont trois garçons, Jean-François, Charles-Henri et Jacques-Antoine, elle avait fait toute sa scolarité dans une école de filles en bleu marine et blanc, entourée de bonnes sœurs et de curés, avec la messe obligatoire au moins une fois par semaine. Elle dédiait le plus clair de son temps à la lecture d'ouvrages théologiques et connaissait sur le bout des doigts des centaines de passages de la Bible et la vie de Jésus. Ignorée par ses frères qui la trouvaient lourdingue et beaucoup trop bigote à leur goût, elle a grandi en affichant ouvertement son dédain pour les jeunes loups qui lui tournaient autour. Elle priait cent fois par jour pour le rachat de leur âme et espérait que Dieu les remettrait dans le droit chemin. Elle était bénévole dans des associations caritatives pour soulager la misère humaine, donnait de l'argent aux pauvres et reprisait, le week-end, de vieux vêtements qu'elle distribuait les soirs de pluie aux sans-abri. Elle s'est finalement mariée avec le premier prétendant que ses parents lui ont présenté. Pas franchement par amour mais parce qu'il fallait bien partir de la maison familiale et fonder une famille. C'était son rôle de femme. Son mari était amoureux d'elle. Il faut dire qu'elle était belle, pas collante et intelligente. Nous sommes arrivées rapidement et avec nous, elle a trouvé un nouveau sens à sa vie. Au grand désespoir de Jésus qui s'est vu relégué assez bas dans les priorités. Honnêtement, à défaut d'avoir eu une enfance bidonnante entre un père rigide et une mère un tantinet étouffante, nous avons grandi, mes sœurs et moi, dans un foyer plutôt heureux.

Le changement qui s'opérait chez notre mère nous surprenait vraiment et aucune de nous n'arrivait à expliquer son comportement. Larry, nous l'apprendrons plus tard, était déjà dans les parages et avait entamé son approvisionnement en substances illicites. Notre mère s'était mise, en plus de la cocaïne, à bouffer par poignées entières des queues et des têtes de champignons hallucinogènes qu'elle a, la grande malade, essayé de nous refiler en omelette pour que nous puissions, au moins une fois, délirer avec elle.

« Vous êtes décidément trop coincées, les filles ! Au moins avec Larry je m'amuse, ce n'est pas comme avec vous ni comme avec votre père. »

Coincées ? Sûrement. Mais elle avait juste omis de nous laisser un tout petit temps d'adaptation, nous qui étions largement plus habituées aux *Ave Maria* qu'aux omelettes hallucinogènes !

Mon Dieu, que c'est loin tout ça et que le temps passe vite ! Il est presque 16 heures. Je ne suis pas habillée, je ne sais pas quoi me mettre et je ne me suis même pas lavée. Conclusion, je ne serais jamais à l'heure à mon rendez-vous de boulot de 17 heures. XVIIe-Bastille en voiture, j'en ai au moins pour une demi-heure, voire trois quarts d'heure. Ça ne me laisse qu'un peu plus de dix minutes pour tout faire. Je suis mal organisée, je sais, mais il est plus sage d'annuler...

« Agence Adélie bonjour !

— Bonjour. Pourrais-je parler à M. Morraud, s'il vous plaît ?

— Qui dois-je annoncer ?

— Garance Kléberg.

— Allô ?

— Monsieur Morraud ?

— Oui, c'est lui-même.

— Bonjour, monsieur, je suis Garance Kléberg et j'avais rendez-vous avec vous à 5 heures.

— Oui, je vous attends. Je viens de rentrer d'Allemagne et je suis repassé au bureau pour vous recevoir.

— Ah... Ça m'ennuie parce qu'en fait, je ne vais pas pouvoir venir.

— Ah ? Et pourquoi ?

— Euh, ben... parce que, en fait... euh... »

Penser la prochaine fois à préparer réponses et argumentaire avant de téléphoner.

« En fait, je ne suis pas à Paris.

— Et vous venez de vous rendre compte que vous n'étiez pas à Paris une heure avant notre entretien ?

— Non, ce n'est pas ça, mais j'ai dû aller à un enterrement qui n'était pas prévu. Dans le feu de l'action, je n'ai pas vu l'heure, je suis désolée. »

Avant de raccrocher, je me suis excusée platement une nouvelle fois et nous avons fixé un autre rendez-vous pour demain, vendredi. N'ayant plus rien d'autre à faire, je me suis offert le luxe d'une petite sieste...

15

Il est 19 h 20 ! J'ai dormi presque deux heures et demie comme une masse. Trop de stress et de tension. Je viens de me réveiller et j'ai le visage tout chiffonné avec la marque de l'oreiller gravée sur la joue gauche. Je ne suis pas belle à voir. J'ai la bouche rêche comme si j'avais mangé du plâtre avec des cailloux. C'est terrible mais l'inaction appelle l'inaction. Moins j'en fais, moins j'ai envie d'en faire. Quand je travaillais, je me levais tôt et mes journées étaient aussi chargées que celles d'un chef d'entreprise. Le soir arrivait et j'avais juste le temps de repasser à la maison, d'effectuer un passage éclair sur le bidet tout en me lavant les dents, de changer de culotte et de tenue avant de repartir. Le tout, en moins de quinze minutes. Tenez, ça, c'est encore un truc de ma mère...

« Si tu as un accident et que les pompiers sont obligés d'intervenir, tu seras bien contente d'avoir mis des dessous propres et qui sentent l'assouplissant. C'est important, ça. En plus, c'est plus correct pour eux et si tu te retrouves à l'hôpital, personne ne se moquera de toi. »

À mon avis, les pompiers ne seront pas vicieux au point de ne penser qu'à mater l'état de ma culotte si j'arrive en sang aux urgences, mais dans le doute, c'est une habitude dont je ne me suis jamais défaite. Dans mes grandes phases d'activité débordante, donc, j'étais portée par une telle énergie que j'étais systématiquement dans le peloton de tête quand il s'agissait d'aller me trémousser en boîte jusqu'à 7 heures du matin, un verre de vodka tonic greffé dans la main droite et une cigarette dans la gauche, en étant capable de ne dormir que deux ou trois heures par nuit. En fait, comme tout le monde, moins je dors, moins j'ai sommeil. Moins je mange, moins j'ai faim. Moins je m'envoie en l'air, moins j'en ai envie. Quand j'ai connu Edgar, j'étais toujours prête à faire la fête et j'avais des milliers de choses à lui raconter après nos folles étreintes. J'étais vive, gaie, spirituelle, débridée comme il fallait, sans tabou, meneuse de troupe, inventive, coquine, ouverte. En me retrouvant au chômage, j'ai décidé de me la couler douce pendant un mois, convaincue qu'il me suffirait de chercher un boulot pour en trouver un illico. Il valait donc mieux que je profite pleinement de tout ce temps libre sachant que ça n'allait pas durer. Entre les déjeuners copines, le shopping, les rendez-vous épilation, nettoyage de peau, coiffeur, le cinéma, la lecture, les expos ou les musées, j'arrivais facilement à m'occuper. Un deuxième mois est passé où, sans que je prenne vraiment conscience de ce qui m'arrivait, l'euphorie des premières semaines s'est estompée. Je me suis mise à faire moins de choses et à annuler certains rendez-vous quand je ne me sentais plus le courage d'affronter les questions du genre : « Alors, tu en es où, côté recherches ? » Un troisième et un quatrième mois se sont écoulés. Au fil des jours, j'ai fini par tout arrêter en même temps. Plus de déjeuner, plus de shopping, plus rien. J'ai laissé la déprime s'installer sans trop savoir comment ni pourquoi elle m'était tombée dessus alors que j'avais potentiellement tout pour être heureuse puisque j'avais un chéri qui m'aimait et des amis. J'étais sans doute devenue une fainéante aux yeux des « gens » qui bossaient dur et je me sentais obligée de me justifier sur mon manque de volonté et d'ambition en le dissimulant derrière des mensonges minables. De vous à moi, je n'aspire qu'à deux choses : me marier et avoir des enfants. Le boulot, je m'en fous. C'est un aveu que je me garde bien de faire à Edgar qui ne le comprendrait ni ne l'admettrait, lui si passionné, lui si ambitieux, lui si fier de sa réussite. Je me suis mise à mentir à tous ceux que j'aimais en m'inventant tout un tas d'occupations pour me donner de la contenance et un semblant de dynamisme : bilan de compétences, stage de *coaching*, séances de méditation, ouverture de chacras par un maître spirituel, yoga, conférences sur l'alimentation bio, séminaires sur la meilleure manière de libérer la créativité qui sommeille en moi, etc., etc. Mes amies trouvaient que j'avais une chance incroyable de pouvoir me recentrer sur mon moi profond. Elles étaient emballées par mon programme et je les soupçonnais même d'être un peu envieuses de cette liberté que j'avais l'air de m'octroyer sereinement et sans scrupule.

« Tu fais plein de choses, c'est génial ! Et ça t'a fait quoi, quand on t'a ouvert les chacras ?

— Je ne peux pas t'expliquer, c'est trop personnel, tu vois quoi. C'est un truc qui se passe entre toi et l'énergie de l'univers. C'est une expérience qu'on ne peut pas raconter. C'est le maître qui l'a dit.

— Tu as ses coordonnées ? J'irais bien le voir.

— Ah, c'est bête ! Tu aurais dû me le dire plus tôt, il est reparti vivre en Inde hier. Définitivement.

— Et quand tu médites, tu fais quoi ?

— Je médite, c'est tout. C'est une expérience à vivre, pas à raconter. »

J'irai en enfer où j'ai déjà réservé une place à côté d'Aglaé. Ou carrément sur ses genoux, pour l'emmerder un peu. Mes journées sont aujourd'hui purement et simplement ponctuées par deux événements majeurs : le départ d'Edgar le matin et son retour le soir. Entre les deux, j'attends qu'un job me tombe tout cuit dans le bec, je dors ou je brique comme une fée du logis, au choix. La maison est tellement proprette qu'on pourrait tous les soirs dîner à même la moquette. Je peux rester des heures étendue de tout mon long, les doigts de pieds en éventail, à gober des mouches, à guetter le niveau de séchage de mon vernis à ongles ou à passer en revue les journées de la veille, de l'avant-veille, de l'avant-avant-veille. Et je fais le bilan. Je ne fais que ça toute la journée, des bilans. À ce rythme-là, il ne me restera bientôt plus assez de neurones pour conjuguer les verbes du premier groupe au présent sans me tromper. Il faut dire que ce n'est pas vautrée devant *Les Feux de l'amour* ou *Alerte à Malibu* que j'enrichis ma culture générale et que j'emmagasine des choses dont je peux parler à Edgar avec une petite lueur de fierté dans les yeux. Je sais qu'il aime les femmes passionnées, volontaires et ambitieuses et j'en viens à penser que je n'ai plus rien à partager avec lui quand il rentre et que nous dînons seuls. J'imagine que si Edgar me propose de sortir si souvent c'est qu'il s'ennuie, seul avec moi. N'ayez crainte, je nage sincèrement en plein bonheur. Quand Edgar est près de moi. Mais à côté de ma vie sentimentale, mes vies intérieure, sociale et professionnelle ne ressemblent à rien. Et alors, où est le problème ? Le problème, c'est que je le vis mal et que je n'arrive pas à trouver l'énergie nécessaire pour faire changer le cours des choses. Sans la présence réconfortante d'Edgar, je ne serais pas déprimée, je serais dépressive. Je sais qu'il en a ras la casquette de me voir abattue même si je prends beaucoup sur moi pour ne rien laisser paraître. Il a du flair, il me connaît et il voit bien que je ne vais pas fort. Alors, il prend de plus en plus les choses en main dans notre vie de couple : le choix de nos sorties, les amis que nous fréquentons, surtout les siens d'ailleurs, les soirées où nous allons, les films que nous allons voir et je le suis avec plaisir parce que je n'ai pas le choix si je veux passer un peu de temps avec lui. Et aussi parce que je n'ai rien de mieux à proposer, ne débordant pas d'idées délirantes. Je vois les filles seule, sans lui, une fois par semaine, selon nos vieilles habitudes. Je m'oblige, avec elles aussi, à faire bonne figure et à être gaie chaque fois, pour ne pas leur imposer mon fardeau. J'ai toujours pensé que mes soucis étaient accessoires et j'ai toujours été une meilleure « écouteuse » que « parleuse ». Il n'y a pas de raison que cela évolue.

Le reste du temps donc, je me repose sur Edgar et m'en remets à lui. Il m'arrive quelquefois, quand ses virées nocturnes me gonflent, de prétexter un mal de tête ou une indisposition passagère. Pour voir, pour le tester. Jamais il n'a insisté pour que je l'accompagne. Jamais il n'a annulé une fête ou un dîner pour rester avec moi. De toute façon, les rares fois où, par politesse, il m'a demandé si je voulais qu'il annule, je l'ai tellement supplié de ne rien changer à ses plans que j'aurais bon dos de me plaindre maintenant. Et si c'est pour me sentir coupable après parce qu'il est là, à la maison, visiblement déçu et contrarié avec une tête de six pieds de long, non merci, j'ai déjà suffisamment de trucs galères sur les épaules ! Ma mère m'a répété des milliards de fois qu'on ne peut pas tout avoir. Je devrais le savoir, à la longue...

16

Quand Edgar rentre du bureau, c'est tout juste si je ne sens pas, instinctivement, qu'il va arriver, avant même qu'il n'ait passé le dernier virage au bout de notre rue. C'est tout juste si je ne reconnais pas le bruit qu'il fait quand il ouvre les portes de l'ascenseur. Il les claque, c'est facile. C'est tout juste si je ne l'attends pas en remuant la queue derrière la porte. D'ici à ce que je fasse pipi sur les murs pour marquer mon territoire, il n'y a qu'un pas.

« C'est toi qui fais tout ce bruit derrière la porte ? Tu faisais quoi ?

— Rien, je finissais de ranger l'aspirateur. Salut mon cœur, ça va ?

— Tu ne vas jamais le croire ! J'ai une méganouvelle à t'annoncer ! Devine où je vais partir ?

— Tu vas partir ?

— Je te donne un indice... C'est un endroit dont je t'ai très souvent parlé.

— Tu vas partir ?

— Allez, cherche ! Je suis tellement heureux, si tu savais !

— Donc, tu vas partir... Je ne sais pas moi... euh, c'est en France ?

— Non, à l'étranger.

— En Europe ?

— Non, plus loin. Fais un effort, on en a parlé il y a moins d'un mois.

— Ne me dis pas que tu pars... aux Philippines !

— Si ! Justement, à Cebu ! »

Aaaaarrrrrggggghhhhh !

« C'est top, non ? Qu'est-ce que je suis heureux, si tu savais ! »

Aaaaarrrrgggghhhhh !

Je sais que depuis des semaines, Edgar est particulièrement débordé car son centre de recherches vient d'ouvrir une succursale aux Philippines. L'Asie est une région du monde où les volcans sont encore nombreux, m'a-t-il expliqué, et il est capital d'avoir une antenne sur place qui puisse réagir en quelques heures en cas d'intervention. S'il le dit, c'est sûrement vrai. Comme il a été nommé responsable du projet et du recrutement, je me doutais bien qu'il allait devoir s'absenter pour aller y faire un petit tour, ne serait-ce que pour se familiariser avec le coin et les autochtones. Mais je ne m'attendais pas à ce que son départ soit si rapide. Surtout, j'avais l'espoir que le projet se casserait la figure et qu'il n'irait, par conséquent, nulle part où je n'étais pas.

« Je suis excité comme un gosse. Ça fait tellement longtemps que je bosse sur ce projet, et me dire que c'est là, bientôt, ça me rend fou. Mais je te raconterai pendant le dîner. Et toi ? Tu as fait quoi aujourd'hui ?

— Euh... J'ai déjeuné avec Alizée. Après, j'ai été à un cours de yoga. Après, j'ai envoyé des lettres de candidature spontanée. Après, j'ai fait des courses pour ce soir. Après, je suis passée au pressing. J'ai pas arrêté, je suis crevée.

— Et à qui ?

— À qui quoi ?

— À qui tu les as envoyées, ces lettres de candidature ?

— À des gens. Tu ne connais pas.

— Tu es sûre que tu cherches sérieusement ? Honnêtement, Garance, il va falloir que tu te bouges. Ça fait un moment que ça dure et moi, franchement...

— Toi quoi ?

— Rien.

— Si, vas-y, ça m'intéresse.

— Ce serait vraiment bien pour toi que tu te trouves vite un boulot. Tu ne peux pas rester comme ça à ne rien faire et à attendre.

— Je te signale quand même que tu devais donner mon CV au père de Régis il y a un mois, au moment où sa boîte recrutait. Tu l'as fait ?

— Pas encore. J'ai oublié. Désolé.

— Et tu as appelé Mania pour lui demander si elle cherchait toujours quelqu'un ?

— Non plus, mais je le ferai demain.

— Laisse tomber. Ça fait des plombes que tu m'as promis que tu le ferais, alors je ne suis pas à deux jours près. C'est gentil de m'aider en tout cas.

— Le prends pas comme ça, je t'ai dit que j'allais le faire, je vais le faire.

— Si c'est dans deux ans, j'aurai déjà retrouvé, merci.

— On ne va pas s'engueuler ce soir, je suis tellement excité, si tu savais !

— Je vois bien.

— On a fêté la nouvelle au champagne avec toute mon équipe. Ils sont tous fous de joie. C'est un super-projet, je t'assure.

— Mais dis-moi, tu partirais quand, à Cebu ? Pas tout de suite ?

— D'ici une dizaine de jours mais rien n'est encore sûr à cent pour cent, on attend encore quelques autorisations et du matériel. Je te préviendrai dès que je sais, ne t'en fais pas. »

C'est une délicate attention à laquelle je suis très sensible. Quant à Cebu, quand bien même ce serait la plus belle île du monde, je me la mets au même endroit que là où Lætitia s'est mis son prêt. Je sais qu'Edgar n'aime pas les conflits et qu'il meurt d'envie de partager ce grand moment de sa vie avec sa chérie, donc je compose et prends sur moi. C'est devenu une habitude, comme une seconde nature.

« Cebu... Ah, Cebu... Tu sais, Edgar, même si j'ai l'air d'avoir enterré toute ma famille, je suis vraiment, vraiment contente pour toi. C'est juste que je ne m'y attendais pas. C'est arrivé si vite. »

En vous parlant, j'ai dans la tête une chanson de France Gall dans laquelle elle chante « Résiste, prouve que tu exiiiiiistes, refuse ce monde égoïïïïïïste ». Je vais faire comme elle dit. Je vais résister, prouver que j'existe et refuser ce monde égoïste. Je sens que demain est un autre jour. Je ne sais pas combien de temps durera son absence mais je vais profiter de ce temps pour reconstruire ou plutôt pour retrouver la Garance que je suis au fond et qu'il a connue. Je commence tout de suite. Première étape, positiver. Deuxième étape, être convaincue du bien-fondé de la positivité et de tout ce qu'elle va pouvoir m'apporter de bien sur les court, moyen et long termes. Troisième étape, y croire dur comme fer.

« Je suis sûre que vous allez avoir les autorisations qui te manquent et que tu vas pouvoir partir. Tu vas visiter des endroits magnifiques, tu vas voir des plages et des paysages à tomber par terre. L'eau est superchaude là-bas, non ?

— J'ai lu qu'elle était à 28-29°, c'est presque trop, tu ne trouves pas ?

— Tu sais bien que moi, si l'eau n'est pas à 30°, je ne me baigne pas. Tu vas pouvoir te faire masser sur la plage, rencontrer plein de gens sur place, te balader, sortir, faire la fête et tout ça. J'aurais adoré y aller avec toi.

— J'y vais en éclaireur et après, on verra. Si tout se passe comme prévu, on y retournera peut-être ensemble, qui sait ?

— Je pourrais peut-être te rejoindre une dizaine de jours quand tu seras bien installé. T'en penses quoi ?

— Tu sais, j'y vais pour le boulot, ça va pas être très amusant pour toi. Honnêtement, je ne préférerais pas. Si tu es là, je me connais, je vais culpabiliser de bosser et de te laisser seule. »

Troisième étape, y croire dur comme fer... Je ne vais quand même pas me laisser abattre parce que mon chéri va se faire dorer la pilule sous le soleil de Cebu, piquer des têtes dans une eau « limite trop chaude » à son goût et se faire tripoter la couenne avec de l'huile naturelle cent pour cent coco par une jeune Philippine pubère pendant que moi je continue à me farcir la grisaille parisienne et mon vague à l'âme. Non, je suis au-dessus de ça.

Troisième étape, y croire dur comme fer... Surtout que le pauvre doudou y va pour le travail et il n'aura pas forcément le temps de trop se divertir ni de se laisser distraire. Troisième étape, y croire dur comme fer... Et même si ça l'amuse, cela reste un voyage professionnel avec de nombreuses responsabilités et beaucoup de moyens financiers en jeu qu'il ne peut mettre en péril juste pour le plaisir. Ce n'est pas un voyage d'agrément, c'est lui qui le dit, ce n'est pas un voyage d'agrément, ce n'est pas un voyage d'agré...

« Tiens, au fait, je pensais à un truc. Si tu pars, tu pars tout seul ?

— Ça tombe bien que tu poses la question, justement, je voulais t'en parler... Aglaé m'accompagne. C'est elle qui va s'occuper de la presse. »

Sans commentaires. Et croyez bien que ce n'est pas l'envie qui me manque.

17

J'ai vu M. Morraud aujourd'hui, mercredi 28 janvier. Ce n'est pas trop tôt. Il a annulé deux fois le rendez-vous depuis que je l'ai planté. La relation démarre plutôt mal entre nous mais s'il continue à me convoquer, c'est qu'il n'a encore trouvé personne qui corresponde au profil que la société recherche. C'est lui qui m'a reçue les trente premières minutes de l'entretien, dans une salle de réunion avec une gigantesque table ovale, des fauteuils en cuir noir tout autour et, sur un des pans de mur, en face de là où j'étais assise, un grand miroir. Je n'ai pas pu m'empêcher de penser à ces films policiers où les suspects sont toujours interrogés dans des pièces comme celles-ci, face à une glace sans tain derrière laquelle les témoins pointent des doigts accusateurs ou libérateurs. Morraud est plutôt joli garçon quand on découvre son visage pour la première fois. Il est grand, élancé, bien sapé, il a les yeux couleur huître à moitié mangés par des lunettes assez imposantes mais qui lui donnent un certain charme. Il a plutôt les dents blanches et bien alignées, quoique un peu trop espacées en haut. Bel ensemble. Harmonieux. Malheureusement, il est bourré de tics. Résultat, le physique entier devient disgracieux en quelques minutes et c'est presque un exercice pénible que de le regarder bouger et évoluer dans cette pièce. Il tremble et il se ronge les ongles. Ses tics se manifestent principalement au niveau de la bouche et des sourcils. J'avais l'impression de me retrouver aux premières loges d'un spectacle comique et je me suis retenue mille fois de ne pas lui éclater de rire au visage. J'ai même essayé le soir, devant ma glace, de le singer quand, par exemple, sa bouche partait toute seule sur le côté sans qu'il puisse la retenir. C'est carrément impossible à refaire.

M. Morraud parle vite. Il parle fort aussi et a été désagréable, autoritaire et vindicatif. Il a ostensiblement essayé, avec une dose d'agressivité étonnante, de me faire perdre pied et de me déstabiliser. Et si toutefois il y avait vraiment un miroir sans tain, avec un *big boss* derrière, j'ai dû marquer des points et passer les éliminatoires car il est entré pour me serrer la main. Le *big boss*, c'est M. Charvey. C'est lui qui décide. Morraud n'est qu'un sous-fifre qui ne détient pas le pouvoir. Et il en souffre. Ça se voit et c'est la raison pour laquelle il a des complexes et des tics. Son manque de charisme, d'autorité et d'influence rend Morraud aigri et méchant. Comme la sorcière dans *Kirikou*. Ce n'est pas au recrutement qu'il devrait être, c'est à la sécurité avec un chien-loup féroce et muselé sur lequel il pourrait taper quand il est contrarié. Enfin bref, quand le pédégé est entré en scène, Morraud a quitté la salle sans même me jeter un regard. À la revoyure, ducon !

C'est donc avec M. Charvey que j'ai continué et terminé le rendez-vous. Je m'en suis bien sortie. Il faut reconnaître que j'ai eu la présence d'esprit de saisir la balle au bond envoyée par Charvey quand il a parlé de mari...

« Vous êtes mariée, mademoiselle ?

— Non. Ni mari, ni enfant. Je veux d'abord me consacrer à ma carrière et réussir ma vie professionnelle. Je sais que j'ai encore de grandes et belles choses à vivre dans une entreprise et aussi beaucoup de choses à apporter à...

— ... C'est bien, c'est bien. Voyez-vous, nous sommes cent quarante-deux dans la société. Quatre-vingt-deux hommes et soixante femmes. Beaucoup ont des enfants, alors forcément, du côté des horaires, elles ne font pas preuve d'une grande souplesse. C'est tout à fait normal, bien entendu. Je ne les critique pas, d'autant que ma femme travaille aussi et que c'est elle qui se charge de relayer la nounou le soir. Mais bon, avec les trente-cinq heures et tout ça, si on pouvait recruter des gens libres et sans horaires... surtout dans notre milieu où vous savez, comme moi, que les charrettes sont fréquentes. »

J'ai dit célibataire, pas seule au monde. La façon même qu'il a eue de poser sa question ne me laissait, il est évident, pas grande liberté si je voulais ce travail. J'ai pu constater que mon « ni mari, ni enfant » l'avait galvanisé. Il s'est redressé sur son fauteuil et m'a offert le plus beau sourire de la Terre. Charvey était aux anges. J'ai même pu voir, l'espace d'un instant, défiler dans ses yeux le dictionnaire des synonymes : disponible, exploitable, rentable, prête à travailler comme une mule. En moins de trente secondes, le meilleur rapport qualité-prix de la planète, c'était moi...

J'ai toujours été étonnée par cette faculté qu'ont les gens de toujours vouloir se mettre à votre place et de penser pour vous. Sous prétexte que je n'ai ni mari ni moutard, on veut toujours me faire porter le costume de l'*executive woman*, version « Le travail est mon salut car personne ne m'attend chez moi et tout ça est bien triste ». Le fait que je puisse avoir un homme qui partage ma vie, avoir des amis avec qui j'organise des concours de vomi à 4 heures du matin ou que je puisse avoir une vie après 19 heures n'est jamais, un seul instant, envisagé. Quant à être seule chez moi, vautrée comme un loukoum devant une rediffusion de daube à bayer aux corneilles, autant servir à quelque chose et venir bosser. J'ai cru comprendre, encore aujourd'hui, que je serais payée pour ça. Pourtant Charvey n'est pas un mauvais bougre, j'en suis persuadée. Il a l'air subtil, droit, souriant et vous regarde dans les yeux. Quand il parle de son bébé, cette agence Adélie, comme la terre du même nom, qu'il a créée il y a plus de seize ans, il a cette lumière qui brille au fond de l'œil et qu'on ne trouve que chez les passionnés. Edgar a la même. D'un autre côté, je connais trop bien ces schémas, les ayant pratiqués si souvent, pour ne pas m'en méfier. Je vais dire oui à sa proposition de travail, je vais être engagée, je vais devenir indispensable et tout le monde va m'aimer. Surtout après 18 heures. La secrétaire va profiter d'une pause café du patron pour se faire la malle en louzdé. Que cette chienne nous plante avec un dossier urgentissime à rendre demain aux aurores, tout le monde trouvera ça normal. Elle aura des enfants, elle. Les assistantes auront des mecs ou des maris. Le boss, une famille. Les commerciaux, tout bonnement autre chose à faire. Il sera donc évident que je serai celle toute désignée pour me retrouver à moitié dans le noir jusqu'à 2 heures du matin dans un building complètement déserté par ses occupants, à sursauter au moindre bruit suspect et à en vouloir à la terre entière parce que j'aurai peur. Comme d'habitude, je ne pourrai blâmer personne car tout sera de ma faute, je n'avais qu'à dire non. Problème : je ne sais pas dire non. Tout le monde l'aura compris et exploitera le filon à coups de « Je te revaudrai ça ». Ah bon ? Quand ? Un jour ! Merci qui ? Merci, monsieur Charvey. En un temps record, je vais me retrouver au four et au moulin, à faire la bonne. Partout à la fois. J'aurai le code de l'alarme et les clés de la comptabilité. Je saurai où sont les réserves de Tipp-Ex et de Post-it, comment s'appelleront les coursiers, où commander le papier cul et les fournitures. Je connaîtrai le nom des clients, des banquiers, des prospects et même ceux des restaurants qui livrent la boîte. Je serai partout à la fois et là encore, tout le monde trouvera ça normal. J'aurai les ta...

« ... Niveau salaire donc, je vois que vous demandez quatre mille euros bruts par mois. C'est légèrement supérieur aux prix du marché, vous le savez sûrement.

— Non. »

J'ai marqué quatre mille comme j'aurais pu marquer deux mille ou trente-deux.

« Votre personnalité est intéressante. J'espère ne pas me tromper et que vous ne me décevrez pas. Vous aurez trois mois d'essai de toute façon et une place de parking.

— Pardon ?

— Une place de parking est prévue pour vous, disais-je. Et bienvenue à l'agence Adélie, Garance ! »

Quatre mille bruts par mois ? Il a dit oui ou c'est moi qui ai mal compris ?

J'ai accepté le job. Je dois passer quelques heures au bureau le vendredi 2 avril, jour de la Sainte-Sandrine, mais je ne commence vraiment que le 5. Je viens de découvrir que j'étais vénale. Et ça ne m'ennuie pas du tout.

18

Edgar est parti hier soir pour le week-end, dans sa maison de famille. Celle du Lot dont je vous ai parlé. Il ne m'a pas emmenée parce qu'il fête les quatre-vingt-douze ans de Camille, la grand-mère. La mère d'Edgar préfère « rester tous ensemble, en famille, sans pièces rapportées, pour profiter pleinement les uns des autres ». Connasse. J'ai deux longs jours à passer dans un appartement bien vide. Comble de malchance, les filles ont réservé depuis des semaines un stage de deux jours au Touquet pour apprendre à faire du char à voile. Pour rester avec Edgar, j'ai annulé la voile et c'est Clarisse, une amie de la bande, qui a pris ma place. Pour couronner le tout, j'ai passé une horrible nuit vendredi. C'était la première fois qu'Edgar ne dormait pas avec moi depuis le 15 juillet et je me suis sentie abandonnée, toute perdue dans ce grand lit. J'ai fini par m'endormir crispée et énervée. Et je me suis mise à rêver...

Je vois Edgar batifoler dans Paris avec une fille brune, les cheveux longs jusqu'au bas du dos. Elle s'appelle Francine. Elle est grotesque. Je le vois courir après cette fille, le pantalon sur les chevilles, en poussant des petits cris de vieux cochon pervers. Ils sont heureux et amoureux. Tellement exaspérée par ce tableau, je décide d'aller consulter une sorcière pour lui demander de l'aide. Elle habite dans un tronc d'arbre au fond d'une forêt. Elle fait très peur mais Merlin l'Enchanteur, un pote avec qui je dois discuter souvent puisque je le tutoie, m'a dit beaucoup de bien d'elle. J'arrive chez elle non sans avoir coupé beaucoup de bois pour que les Indiens du voisinage puissent se chauffer l'hiver. C'est ça la solidarité. Ma sorcière est moche, petite, avec de longs cheveux sales et grisonnants. Ses ongles sont fourchus, ses mains toutes ridées et il lui manque au moins sept dents. Pour tout vous dire, c'est une sorcière assez commune en somme. À un détail près : la mienne s'appelle Marie-Cécile, qui n'est pas un prénom qui fout les chocottes, et elle est assise à califourchon sur un aspirateur et pas un balai. Quand elle me voit, elle ne me sourit pas et on ne se dit même pas bonjour. C'est comme ça avec ces gens-là, on ne perd pas son temps en formalités et en politesses inutiles. Je lui explique en quelques mots la raison de ma venue mais, mystère et boule de gomme, elle est déjà au courant. Capitaine Flam lui a téléphoné hier matin. Je lui raconte que je veux qu'elle me rende mon Edgar et qu'elle me le rende amoureux comme jamais. Elle me dit que ce n'est pas de son ressort. Elle fait chier ! Je ne me suis pas tapé six kilomètres en pagne, pieds nus dans la forêt avec une cagoule sur la tête et des mitaines en fer, pour repartir sans qu'elle donne un petit coup de main à mon destin sentimental ! Elle voit que je suis en colère et fait travailler ses méninges.

« Je ne peux pas vous rendre votre chéri mais je peux vous venger. Ça vous irait ?

— Ça dépend, vous proposez quoi ? Vous avez un catalogue, quelque chose ?

— Elle se croit où ? Dans un magasin de vente par correspondance ? Je peux lui jeter un très mauvais sort mais il ne faudra pas venir pleurer après. C'est compris ?

— Oui.

— Oui qui ?

— Oui, madame. »

A priori, la politesse, c'est important quand même... Je la suis. On prend l'ascenseur qui se trouve dans le tronc d'arbre et nous arrivons dans une grotte très grande et très sombre mais très bien décorée. Il fait froid et il y a des centaines de cages en bois avec des animaux de toutes sortes dedans. Les cages pendent du plafond ou jonchent le sol. À même la moquette. Oui, parce qu'il y a de la moquette. Elle choisit une énorme marmite et pioche, ici et là, les animaux dont elle a besoin. Dans son chaudron, elle jette les bestioles à poil et à plume, les araignées, les serpents, les crapauds et diverses sortes d'oiseaux, et ajoute une poudre marron qui brille très fort. Elle récite une formule magique que je ne comprends pas et m'ordonne de touiller moi-même la préparation avec une pelle en bois qui pourrait être celle du Géant vert, tant elle est grande. Je ne peux pas m'empêcher de regarder ce que je touille et franchement, c'est répugnant. J'ai envie de vomir. Je me dis qu'elle ne verra pas la différence vu ce qui flotte déjà à la surface mais je me retiens.

« Abracadabra, par les pouvoirs qui me sont conférés, magie noire et mauvais esprits, agissez et obéissez ! Hep, vous ! Regardez dans le chaudron. »

Je m'exécute. Edgar est dedans, un peu flou mais bien reconnaissable. Il est avec une femme, probablement la Francine, et elle crie. Lui est étendu et ne bouge pas. Je ne distingue pas ce que la femme regarde mais elle est terrifiée.

« Qu'est-ce que vous lui avez fait ?

— Je viens de l'amputer du zob. Vous voulez partir avec ?

— Avec quoi ?

— Son zob. Ça vous plairait ?

— OK. »

J'attends dehors bien sagement, habillée maintenant d'un tutu qui me serre le kiki et de collants trop petits. Je me demande malgré tout ce que je vais bien pouvoir faire du zob d'Edgar. Un pendentif, une sculpture, un objet décoratif, un presse-papiers.

Le rapport qualité-prix étant vraiment excellent chez les sorciers, je paie ensuite deux euros trente à la vieille dame et je m'en vais, sans lui dire au revoir. Je prends le chemin du retour mais cette fois, je rentre en avion car je suis crevée. En plus, mes skis me gênent pour marcher vite et ma cape en nouilles s'accroche dans les arbres. En arrivant chez moi, je place mon trophée sur la cheminée, en face de mon lit. Je souris et me sens d'une humeur très joueuse. Dans un coin de l'appartement, Edgar est là. Il est debout, tout nu avec les mains ligotées. Il me supplie de lui rendre « son truc ». Ah tiens ! Quand ça l'arrange, « truc » fait l'affaire ! Moi, je m'esclaffe. Je lui dis d'aller se faire empapaouter chez les Grecs. Il part la queue entre les jambes, ce qui chez lui n'est plus une expression très adéquate, et je m'endors. C'est à ce moment-là que je me réveille. Il n'y a rien sur la cheminée. Et pour cause, je n'ai pas de cheminée. Les sorcières n'existent pas, tout le monde le sait. Je suis très déçue néanmoins.

Penser à aller consulter un psychanalyste dès que possible et à entamer une cure de Prozac. Urgent.

J'ai oublié de vous préciser qu'Edgar m'a téléphoné de sa maison du Lot vendredi. Il était bien arrivé et voulait juste m'annoncer, avant d'oublier, qu'il partait aux Philippines pour deux mois, le 9 février au soir. Dans dix jours...

19

Je suis allée chercher Edgar à la gare dimanche soir. Alors que je prenais un thé avec Arthur, vers 16 heures, j'en suis venue, sans aucune raison apparente, à me persuader qu'Edgar me trompait. Probablement gavé par mes questionnements incessants sur « le pourquoi du comment des hommes », Arthur a fini par me convaincre d'aller jeter un petit coup d'œil à l'arrivée du train. Juste comme ça, pour voir. Pour me rassurer. À mes risques et périls bien entendu. Bien entendu, oui.

« S'il est là avec une femme, tu fais quoi ?

— Une scène.

— Tu dérailles en ce moment, Garance. Tu as beau nous faire croire que tout va bien, que tu es amoureuse et heureuse, les filles et moi, on voit bien que ça ne va pas. Tu ne veux pas en parler ?

— Tout va bien, je te promets.

— Je respecte ton silence mais je te connais par cœur et tu es à côté de tes pompes. Je veux juste t'aider mais je sais très bien que si j'attends que ce soit toi qui demandes de l'aide, on n'est pas sortis de l'auberge.

— Écoute, on en reparle plus tard, je dois y aller. »

Je suis partie à la gare. Ne sachant pas dans quelle voiture Edgar était, j'ai commencé par attendre à la tête du train. Il avait une chance sur deux de me voir avant que je le voie. S'il avait vraiment une femme accrochée au bout du bras, il avait largement le temps de l'envoyer valdinguer et de me faire gober qu'il était seul. Quand le flot de passagers s'est densifié, je n'avais plus aucune visibilité. J'ai avancé à contre-courant vers le milieu du train, profitant des quelques pylônes qui se trouvaient sur mon chemin pour me cacher et avoir une vue d'ensemble plus large. Edgar regardait devant lui comme s'il cherchait quelqu'un. J'en étais sûre ! Il s'est arrêté au bout du quai, a posé son sac et a balayé du regard toute la gare. Il a sorti son téléphone portable et a composé un numéro. Il n'était peut-être pas descendu du train avec une femme mais celle qu'il devait retrouver était en retard. Mon portable s'est mis à sonner aussi. J'ai décroché en chuchotant, comme si Edgar, qui se trouvait à au moins cent cinquante mètres de moi, pouvait m'entendre.

« Allô ?

— C'est moi. Tu es où ? Je ne te vois plus.

— Comment ça, je suis où ? À la maison... Où tu veux que je sois ?

« Le train à destination de Valence va entrer en gare voie huit. Veuillez vous éloigner de la bordure du quai. »

Merci, petit Jésus, pour votre soutien et soyez assuré que je mettrai peau de balle à la prochaine quête...

« C'est bien ce qui me semblait, je ne suis pas fou, tu es à la gare ! Je t'ai aperçue quand je suis descendu du train. C'est adorable d'être venue.

— On se retrouve devant le café. J'arrive. »

Edgar m'a serrée dans ses bras comme s'il ne m'avait pas vue depuis des semaines en me répétant combien il était content que je sois là. Trop poli pour être honnête, aurait dit ma mère. Prenons l'exemple d'un homme marié qui a des relations assez moyennes avec sa femme. Il rentre tous les soirs du bureau en la saluant de loin sans l'embrasser. Il enlève sa veste, s'assoit sur le canapé, allume la télé, met les pieds sur la table basse, dit qu'il est crevé par sa journée et demande ce qu'il y a pour le dîner qu'il va engloutir en deux minutes avant d'aller se coucher. Si ce même homme a une liaison, il va soudainement rentrer les bras chargés de fleurs. Il va prendre sa femme par la taille, lui dire qu'elle n'a jamais été aussi belle et désirable et combien elle lui a manqué aujourd'hui. Il va s'intéresser à sa journée, lui poser des tas de questions et aller même jusqu'à faire des projets de week-end avec elle. En bref, il va la rendre suspicieuse et c'est là qu'elle va commencer à se méfier. Il la sous-estime et ne sait pas que le meilleur moyen de continuer peinard dans l'adultère est, justement, de ne rien changer. Tous les maris des amies de ma mère qui trompaient leurs femmes se sont fait piéger à cause de ce changement brutal d'attitude. Edgar me semblait bien parti pour prendre le même chemin...

« C'était bien, ton week-end ? Elle va bien, Camille ?

— Oh, tu sais, c'était très tranquille. L'idée, c'était vraiment de tous se retrouver autour d'elle et d'en profiter.

— Ah... Et si on allait dormir chez toi pour changer ?

— Tu es bizarre, toi, ce soir. Qu'est-ce qui se passe ? Ça va ?

— Tout va bien, mais on n'a jamais dormi chez toi et je me dis que ça changerait de la routine. Et comme ça, tu ne paies pas le loyer pour rien !

— Mais pour quoi faire ? On n'a pas d'affaires là-bas, on n'a rien.

— Et alors ? On se changera demain. J'ai envie, c'est tout. »

Après dix bonnes minutes d'âpres négociations ponctuées de ses nombreux « Je ne vois pas l'intérêt », mon intuition de nouvelle cocue était à son point culminant. Lui ne voyait pas l'intérêt, moi, si. Nous sommes finalement arrivés chez lui et pendant qu'Edgar prenait un bain, j'ai fouiné. Mieux, j'ai fouillé. Oui, quand on se met à ouvrir tous les tiroirs de la maison, à feuilleter les livres de la bibliothèque pour vérifier que rien n'en tombe, à faire les poches des vestes et des pantalons, à lire le courrier et à soulever les coussins des canapés « au cas où » la cachette s'y trouverait, le verbe qui convient est bien fouiller. Pendant qu'Edgar se détendait avec de la mousse jusqu'aux oreilles, moi j'étais à quatre pattes et je cherchais la petite bête. Je n'ai, je dois l'admettre, rien trouvé de compromettant. Je n'avais que des doutes et aucune preuve. Une lettre, un petit mot, une photo, un bijou auraient fait l'affaire, mais là, rien. Plus je fouillais, plus je culpabilisais de mettre son intégrité et sa fidélité en doute, et plus je me détestais pour ce que je faisais. Il ne me trompait pas. Il fallait que je m'habitue à cette idée plutôt pas désagréable et que j'arrête de fantasmer. Je suis donc allée rejoindre Edgar dans le bain et nous avons fait l'amour une première fois, dans l'eau. Nous avons grignoté un petit quelque chose qu'il avait rapporté du Lot, puis, comme il était tard, je me suis couchée. Il est venu me rejoindre pour une nouvelle série de galipettes que nous n'avons pas eu le temps, ni le cœur surtout, de mener à terme.

« Attends, chéri, attends... je sens quelque chose au fond du lit. Mais qu'est-ce que c'est ce truc ?

— Fais voir... Alors ça... Je ne sais pas du tout.

— Voyons voir... Il y a deux trous pour les jambes, un élastique à la taille. Oui, je crois que ça s'appelle une culotte ! Et elle est à qui cette culotte ?

— À qui veux-tu qu'elle soit ? À toi, non ?

— Je vais te faire une confidence... Les culottes, elles ont des tailles, comme les pantalons. Tu vois, moi, je fais du 36-38 et la culotte, c'est du 42. Alors ?

— Alors, je n'en ai aucune idée. Je ne l'ai jamais vue de ma vie. Je te promets. Si elle n'est pas à toi, je ne vois pas à qui elle peut être.

— ...

— Arrête de me regarder comme ça ! Je te jure, je ne sais pas à qui elle est ! C'est peut-être la femme de ménage qui l'a oubliée, je n'en sais rien moi.

— Mais c'est vrai, tu as raison ! Elles sont tellement joueuses, les Portugaises, que quand elles font des ménages, elles enlèvent toujours leur culotte. Juste pour le plaisir de briquer cul nu ! La tienne, en plus, elle te fait des blagues et elle la cache au fond de ton lit ! Prends-moi pour une conne.

— Qu'est-ce que tu fais ? Tu pars ? Garance, je te jure, elle n'est pas à moi, cette culotte.

— Je sais bien qu'elle n'est pas à toi. C'est justement le nom de sa propriétaire qui m'intéresse.

— Je ne sais pas quoi te dire. Je sais que les apparences sont contre moi.

— Non, sans rire... »

Il y a des fois où il ne sert à rien d'argumenter et où la fuite est le meilleur des remèdes. Je suis partie. J'ai bien fait, je crois que j'aurais été capable de l'émasculer avec les dents...

20

Je n'ai pas vu cette semaine passer. Edgar a été interdit de séjour à la maison pendant deux jours. Deux jours pendant lesquels il était supposé se rafraîchir la mémoire et me fournir une explication plus valable que sa femme de ménage exhibitionniste dans « l'affaire de la culotte au fond du lit ». Il a fini par lâcher le morceau. Ne restait plus qu'à vérifier que ce n'était pas un mensonge.

« Appelle Fred, tu verras. Comme tu connais sa femme, il m'a fait jurer de ne pas t'en parler.

— Je vais faire mieux que ça, je vais appeler sa maîtresse. »

Partant du principe qu'il vaut mieux s'adresser à Dieu qu'à ses saints, j'ai appelé Fred pour lui ordonner, sous peine de révélations scandaleuses à sa femme, de me refiler illico le numéro de téléphone et le nom de sa maîtresse. Il a bafouillé au début quelques « Je ne sais pas de quoi tu parles » pas très originaux. En lui suggérant de mieux réfléchir, j'ai mis Edgar dans la balance en précisant que l'un des deux mentait. Fred ou Edgar ? Edgar ou Fred ? Il a fini par recouvrer la mémoire et balancer un nom.

« Bonjour. Vous êtes Georgia ?

— Oui, c'est moi.

— Bonjour, mademoiselle. Nous faisons un petit sondage auprès de notre clientèle féminine et j'aimerais savoir quelle est votre taille en jupe et pantalon.

— 42.

— Et en sous-vêtements ?

— 42 également. Mais c'est pour quoi ?

— Pour un sondage. Une dernière petite question pour la route, vous connaissez Fred ?

— Attendez, mais qui est à l'appareil enfin ? C'est une plaisanterie ou quoi ?

— Un conseil, si vous tenez à la vie, déménagez et surtout, ne vous approchez plus jamais de Fred. Me suis-je bien fait comprendre ? »

Edgar, assis en face de moi, était médusé et n'a plus osé l'ouvrir pendant un bon moment mais il a pu réintégrer nos pénates. Je suis peut-être cocue, mais j'ai décidé de lui laisser le bénéfice du doute. Pour l'instant en tout cas.

Nous voilà à deux jours de son départ. L'appartement est sens dessus dessous. Des vêtements un peu partout qu'il doit rassembler et apporter chez lui pour préparer ses bagages. À part ça, j'ai reçu hier matin mon contrat de travail. Je vais avoir très prochainement des belles cartes de visite rien qu'à moi et je vais me faire tout un tas de nouveaux camarades de mon âge. Edgar est ravi pour moi. À l'écouter, il a toujours été convaincu que je trouverais un poste sitôt que je chercherais. Mais oui ! En tout cas, ce n'est pas grâce à ses contacts qui n'ont toujours pas vu la couleur des CV que je lui avais confiés. J'ai survolé le contenu de mon contrat rapidement, paraphé chaque page, signé avec la mention classique « lu et approuvé », daté du « vendredi 6 février 2004 » et posté le tout. J'ai appelé ma mère pour lui annoncer la bonne nouvelle, mon salaire et la date à laquelle je prenais mes fonctions. J'ai trouvé son « Tu veux une médaille ? Il était temps, non ? » un poil déplaisant mais je n'ai pas épilogué. Je grandis... Edgar est à fleur de peau. Tant mieux, moi aussi. J'ai toujours le coup de « Je pars avec Aglaé aux Philippines » en travers de la gorge. Il prend l'avion dans deux jours et, un malheur n'arrivant jamais seul, hier samedi, il n'est pas rentré à la maison de la nuit. Il a été obligé de dormir au bureau. Une galère de dernière minute qu'il devait absolument régler avec son équipe avant de s'envoler pour l'Asie. Je sais qu'il ne me ment pas car je lui ai piqué les clés de chez lui pour faire un double. Il ne peut donc pas y être allé. Il m'a appelée vers 23 heures alors que la ratatouille avait déjà brûlé depuis longtemps dans la casserole et que je m'étais assoupie en regardant une merde à la télé.

« C'est moi. Tu dormais ?

— Non. T'es où ?

— Je suis bloqué au bureau. On a un énorme problème avec une de nos machines et on ne s'en sort pas.

— Quelle heure est-il ?

— Je ne vais pas rentrer tout de suite. On en a pour des heures à trouver la panne et à réparer. Je te rappelle si jamais ça avance plus vite que prévu. OK ?

— Tu es tout seul ou elle est là ?

— Ne recommence pas, Garance, je pars lundi, j'ai vraiment d'autres chats à fouetter que de me prendre la tête avec toi ce soir. Et pour répondre à ta question, non, elle n'est pas là.

— Prouve-le.

— Tu me fatigues. Je te rappelle. »

J'ai dû fumer au moins huit cartouches de cigarettes assise sur le bord du lit. À 4 h 10 du matin, il n'était toujours pas là et il ne m'avait pas rappelée. J'ai fait un nouveau petit bilan des deux dernières semaines. Pas joli-joli. Je n'ai fait que crier et m'énerver. Je n'ai pas arrêté de le titiller pour comprendre pourquoi il ne s'intéressait plus vraiment à moi, pourquoi il était de plus en plus souvent absent, pourquoi il ne m'épaulait pas dans cette mauvaise passe, pourquoi il me faisait moins l'amour, pourquoi il me donnait l'impression de se détacher de moi, pourquoi Aglaé faisait partie de l'expédition. En réalité, j'avais pleinement conscience que je reportais mon mal-être et mes doutes sur lui en le rendant responsable de tous mes états d'âme par son incapacité, voire incompétence, à me rendre le sourire et confiance en moi. Je m'y prenais mal mais c'était plus fort que moi. Son détachement, qui me semblait palpable, exacerbait un plaisir sadique et masochiste qui consistait à me faire autant de mal qu'à lui. Et s'il avait dû aller voir ailleurs, je n'aurais pas pu le blâmer.

« Pourquoi elle ?

— Je te l'ai déjà dit cent fois, parce qu'elle bosse dans les RP.

— Ce n'est pas une raison. Elle va en faire quoi de sa société pendant ces deux mois ? Tu crois réellement qu'elle connaît la presse locale, tout ça parce que Madame fait des RP à Paris ? Mais tu rêves, mon pauvre ami !

— Ça fait vingt ans qu'on se connaît, tu crois que si on avait voulu faire notre vie ensemble, on aurait attendu si longtemps ? L'équipe a vraiment besoin d'elle sur place, je t'assure, c'est important qu'elle soit là.

— Et vous allez être dans le même hôtel ou dans le même lit ? Pourquoi tu n'as pas dit tout de suite qu'elle venait ?

— Je n'y ai pas pensé, c'est tout. Je t'en prie Garance, ne va pas chercher midi à quatorze heures, c'est ridicule.

— Le pire, c'est que je suis sûre que tu me l'aurais caché si je n'avais pas demandé.

— Garance ?

— Quoi ?

— Merde. »

Avec Edgar, les disputes se terminent toujours de la même façon. « Merde. » C'est le mot qu'il utilise quand il est à court d'idées, d'explications ou de mensonges et qu'il ne veut pas polémiquer. Ensuite, il sort pendant quelques minutes ou quelques heures, ça dépend de son seuil d'énervement. Je ne sais jamais où il va et je ne lui demande rien quand il rentre. Je suis pourtant à peu près sûre qu'il ne se passera rien entre lui et Aglaé et qu'ils ne vont pas copuler comme des bêtes derrière mon dos sous prétexte qu'ils seront à dix mille kilomètres de moi. Mais j'ai peur d'elle, de son pouvoir de persuasion et de sa ténacité. J'ai peur qu'elle profite de notre éloignement pour le vampiriser. Peur que l'étau ne se resserre pas autour de lui et que le travail de sape qu'elle fait à mon égard porte finalement ses fruits. J'ai peur tout court. Deux mois, c'est si long. Tout peut basculer en deux mois. Aglaé se vante sans cesse d'obtenir toujours ce qu'elle veut quand elle est vraiment motivée. La patience est une de ses vertus. Pas des miennes. Pour me remonter le moral et essayer de voir la vie en rose, je n'oublie pas qu'elle est frigide et pas moi. Le fait est que j'en veux à Edgar de ne pas avoir eu la délicatesse ni le courage de me demander mon avis avant de prendre la décision. Je lui en veux de m'avoir mise devant le fait accompli. Je lui en veux d'être lâche, de ne pas m'avoir proposé de l'accompagner. Tout bien réfléchi, je lui en veux de me l'avoir dit et de penser que sa faute était pardonnée parce que avouée. Je lui en veux de ne pas avoir menti. Pour la paix de mon âme, j'aurais finalement préféré qu'il s'envole avec son mensonge par omission et qu'il prenne le risque que je l'apprenne un jour... ou pas.

Edgar n'a pas dormi là. Il n'est rentré qu'à 7 heures du matin, ivre de fatigue et les yeux cernés de mauve. Il a juste eu le temps de se laver, de se changer et de repartir bosser. Ma mère me dit toujours qu'un homme qui rentre du travail avec la « bistouquette qui sent le savon », c'est un homme infidèle. Je n'ai pas pu vérifier, Edgar a sauté dans la douche avant que j'aie eu le temps de lui renifler l'entrejambe.

21

Le jour tant redouté a fini par arriver. Edgar est parti. Je ne l'ai pas accompagné à l'aéroport. D'abord parce qu'il ne me l'a pas demandé, ensuite parce qu'il était hors de question que l'autre mette un pied dans ma voiture, et enfin parce que nous n'avons pas dormi sous le même toit. Je suis seule pour deux mois. Deux mois pendant lesquels ma vie sentimentale va se jouer puisque, c'est la grande nouveauté du jour, nous faisons un break. Rectification, Edgar fait un break. Je sais bien ce que ça sous-entend : qu'il me quitte définitivement mais qu'il n'a pas le courage de me jeter sa rupture au visage. Je suis énervée, furieuse et malheureuse comme les pierres.

La veille de son départ, j'avais décidé de reprendre le dessus, de ne pas me laisser abattre, et de passer cette soirée avec lui dans la joie et la bonne humeur. J'étais prête à oublier provisoirement Aglaé et à m'occuper de lui, à le cajoler, à être drôle, cool, détendue. Je voulais redorer mon blason et qu'il ait des étoiles plein la tête quand il penserait à moi à Cebu. J'avais tout préparé. L'après-midi même, j'avais appelé un couple d'amis de Luc que je ne connaissais pas, Nadia et Eusebio, qui avait une société de location de voitures de maître et qui pouvait me faire un prix pour louer une limousine avec chauffeur. J'avais aussi cassé ma tirelire pour réserver une chambre au Crillon. J'avais appelé Edgar pour lui annoncer que je venais le chercher à la sortie du bureau et qu'il fallait qu'il laisse sa voiture dans le parking de la société. Ça l'arrangeait, vu qu'il n'allait pas s'en servir pendant son absence. Ce soir, il devait se laisser porter. Je m'occupais de tout. Il a eu l'air surpris, s'attendant plus à ce que je lui fasse une pendule qu'une surprise. À 20 h 30, j'étais en bas de son bureau et je l'attendais dans la limousine, une coupe de champagne à la main. Je ne portais qu'un manteau de fourrure, le vison de ma mère, et en dessous, un string rouge avec des dentelles noires qu'il m'avait offert en août parce qu'il trouvait que « ça faisait un peu pute » et qu'il aimait ça. J'avais aussi des bas résille retenus par un porte-jarretelles noir et des talons aiguilles en cuir de la même couleur. Les vitres étaient évidemment teintées. J'ai vu Edgar sortir de l'immeuble mais lui ne me voyait pas. C'était excitant de voir sans être vue. J'ai baissé ma vitre et l'ai appelé. J'ai fait un signe au chauffeur qui est sorti pour ouvrir la portière afin qu'Edgar me rejoigne au chaud. Il s'est assis à côté de moi, aussi à l'aise que s'il avait une hémorroïde de la taille d'une clémentine au fond du calbute...

« C'est quoi, ce gag ? C'est quoi, cette voiture ? C'est quoi, cette tenue ?

— C'est ma surprise. Nous dînons et dormons au Crillon. À ta santé, mon amour ! Tu ne trinques pas ? »

Je voulais que cette nuit soit mémorable. Lui aussi. Pas pour les mêmes raisons. On aurait dit une Cocotte-Minute sous pression. Il m'a très vite criblée de reproches comme quoi « je ne me rendais pas compte, à quoi pouvais-je bien penser, qu'est-ce qui avait bien pu me passer par la tête, je ne vivais pas dans la réalité, ce n'était pas avec de la poudre de perlimpinpin que les choses allaient s'arranger, non mais qu'est-ce que je croyais ! ». Je me revois vous dire qu'Edgar ne s'énervait jamais. Je me suis trompée. Hier soir, pour la première fois en presque sept mois, il s'est énervé. Et il est parti. Pour de bon. Edgar m'a purement et simplement lourdée en profitant de son expédition asiatique, qui tombe à pic, pour faire le point sur notre histoire et sur ses sentiments. Aglaé va l'aider à y voir plus clair, j'en suis sûre. Elle est là pour ça, c'est son amie. Je compte sur elle pour être impartiale et prêcher pour ma paroisse. Le chéri ne sait plus où il en est et le pataquès que je lui ai fait à propos de sa grande meilleure amie l'a fortement ébranlé. Sans mentionner l'histoire de Fred. C'est ce qu'il m'a dit. Notre avenir est remis en cause car il ne pense pas pouvoir faire sa vie avec une femme aussi jalouse et possessive que moi qui, de surcroît, n'a pas confiance en lui. Il trouve aussi que j'ai beaucoup changé ces dernières semaines et que j'ai perdu mon peps et ma joie de vivre. Il m'aimait mieux « avant » et, sans vouloir me blesser, il s'ennuie de plus en plus en ma compagnie. C'est pour ces raisons qu'il sort souvent et sans moi. Je vous livre ces informations en vrac mais comprenez que je suis sous le choc. Il sait que je l'aime mais je lui mets une pression trop grande sur les épaules quant à notre avenir. Il m'aime bien car, je cite, « je suis sympa », mais les enfants, le mariage et tout ça, il n'est pas convaincu d'être fait pour ça. Il a l'impression que j'ai jeté mon dévolu sur lui à cause de cette foutue horloge biologique. Du coup, je refuse de voir les problèmes et je me voile la face en racontant partout que tout va bien entre nous et que nous formons le couple le plus heureux de France et de Navarre. Quoi d'autre ? Ah oui...

« Tu n'as même pas remarqué que je te faisais moins l'amour.

— Si.

— Et tu ne t'es pas demandé pourquoi j'en avais tout bonnement moins envie ?

— On croit rêver ! Parce que tu crois sincèrement que moi, j'ai envie de toi ? Ça ne t'a pas traversé l'esprit que je puisse me forcer ? »

C'était mesquin de ma part et faux mais colère et vexation font parfois bon ménage et c'est sorti comme ça. J'avais toujours cru que, physiquement, l'alchimie fonctionnait et que le sexe était ce que nous partagions de plus intense, même dans les pires moments. Alors que lui se force, ça dépassait l'entendement. C'est Aglaé qui lui a suggéré de vider son sac la veille du départ pour les Philippines, histoire de partir serein et de bien profiter du séjour l'esprit libre sans se trimbaler une casserole au cul. Pas besoin de dessin, la casserole, c'est moi...

« Elle va avoir deux mois pleins pour s'en remettre. Tu ne vas pas t'empoisonner la vie avec elle plus longtemps. Si tu l'aimais, je comprendrais, mais même pas.

— Tu crois que je dois lui parler ?

— Ce soir ! Tu lui annonces que tu fais un break, même si toi et moi on sait très bien ce que ça veut dire.

— Bon, d'accord. »

Je sais, je fais un peu les questions et les réponses à leur place, mais je sens qu'il n'en a pas fallu davantage à cette garce pour le convaincre. Après tout, elle a raison, c'est beaucoup plus sympathique de se quitter comme ça. Sur une engueulade la veille de son départ, avec une rupture à la clé.

Pour parler, nous avons parlé. Edgar, surtout. Nous sommes restés dans la limousine. Devant son bureau. Je pensais au chauffeur qui devait se régaler en nous entendant et qui allait avoir des tas de choses à raconter à ses copains demain matin. Edgar me soutient qu'il a essayé maintes fois de tirer la sonnette d'alarme mais j'étais hermétique et n'ai rien vu. Je l'ai écouté, drapée dans ma dignité et mon vison, en levant régulièrement les yeux au ciel, l'air de dire : « Cause toujours, tu m'intéresses. » Et quand, à mon tour, je l'ai ouverte, j'aurais mieux fait de tourner sept fois ma langue dans ma bouche.

« C'est ça, va-t'en, ça me fera des vacances ! Je te rassure, si ce n'est pas toi qui avais décidé de partir, je l'aurais fait à ta place. Alors, comme ça, tout le monde est content. »

À 4 h 42, le chauffeur l'a déposé à la maison. Il en est reparti avec une valise dans chaque main, direction l'appartement d'Aglaé, chez qui il a dormi. Quant à moi, je suis allée au Crillon. Le concierge m'a dévisagée comme si j'étais une Martienne mais il est resté très courtois. Vu le prix de la chambre et mon humeur, c'était mieux. J'ai commencé par vider le minibar de toutes les boissons alcoolisées, puis j'ai commandé de la vodka. J'ai ensuite pris un bain très chaud dans le noir. J'ai déposé quelques bougies allumées autour de la baignoire et je me suis enfilé la bouteille, à même le goulot. Je me suis réveillée toujours dans le bain mais dans une eau glacée, avec un mal de tête carabiné. Il était 9 h 15. Edgar était probablement déjà dans l'avion.

Souvent femme varie et il n'y a aucune raison que je sois une exception. Plus j'y pense et plus je me dis que j'aurais dû le supplier, m'accrocher à sa jambe et le retenir. J'aurais dû lui crier que je l'aime et que je ne peux pas vivre sans lui et que ça n'a rien à voir avec mon horloge. J'aurais dû faire mon *mea culpa* et l'obliger à reconsidérer sa décision en le menaçant de me jeter par la fenêtre s'il partait. Je pensais qu'il m'aimait suffisamment pour rester en espérant l'arrivée de jours meilleurs. Mais non. Il est bel et bien parti. Je ne pensais pas au fond de moi que ça arriverait. C'est arrivé, point. Et si, et si, et si... Je sais bien qu'avec des « si », on couperait des bûches, mais rien ne m'empêche de mettre notre séparation à profit pour me reconstruire. Il a parlé de break, pas de rupture. Peut-être qu'il pense réellement à un break. Il a besoin de temps pour réfléchir ? Moi, pour le séduire à nouveau. La fille qui l'a intrigué, qu'il trouvait gaie, optimiste, indépendante, ambitieuse et sensuelle n'est pas morte, elle s'est juste oubliée. J'ai deux mois pour arriver à mes fins et lui montrer de quel bois je me chauffe. Ce que j'espère c'est que, d'ici là, l'eau aura coulé sous les ponts. Mes larmes avec...

22

Le temps joue, pour une fois, en ma faveur et j'en ai plus qu'il ne m'en faut pour élaborer un plan de reconquête. Si je veux Edgar, il va falloir que je m'applique. J'ai mis trop d'espoir en lui, j'ai trop basé ma vie future sur ce couple, notre couple, pour le laisser filer sans rien faire. Mon avenir, mes enfants, ma maison avec mon grand jardin délimité par de jolies barrières blanches, mon gros chien qui va chercher la balle que je lui lance tout en cueillant mes fleurs que j'aurai plantées de mes petites mains vertes, ma grosse voiture garée près du perron... tout cela est entre ses mains et il est impossible que je regarde s'envoler en fumée ce que j'ai, depuis presque sept mois, construit avec lui. Pour cela, je sais que je peux compter sur l'appui et les conseils avisés des filles. Je m'en veux tellement d'avoir fait si peu de cas de leur capacité à ne pas me juger et de leur infinie compréhension. Je leur ai menti sur mes activités. Je les ai trompées. Je me sens minable mais je ne peux pas pleurer plus que je ne le fais déjà sans prendre le risque d'inonder les voisins.

Il est 20 heures, elles viennent d'arriver les bras chargés de bouffe, prêtes à débattre sur mon devenir et la stratégie à mettre en place pour picoler sans avoir la casquette le lendemain. Ce soir donc, je réunis la cellule de crise. Nous sommes le 11 et depuis deux jours, ma vie a basculé. Pendant qu'elles préparent le dîner, je leur explique en long, en large et en travers la situation. J'ouvre les vannes et je laisse un flot de paroles trop longtemps contenu se déverser par cascades. Je leur raconte le week-end dans le Lot, mes intuitions, Aglaé et ses persiflages incessants, la nuit où Edgar a découché, la limousine, l'hôtel à huit cents euros à me soûler pour oublier, l'énervement d'Edgar, sa crise d'ado boutonneux, ses doutes, mes peurs. Je leur raconte mes mensonges sur mon emploi du temps depuis des semaines, la façon dont je les ai bernées, elles, mes amies que j'aime comme des sœurs. Je leur raconte ma déprime, mon impression d'être incapable d'aimer normalement, ma peur de vieillir, de ne pas avoir d'enfants. Je leur raconte tout. Tout, jusqu'à la rupture et à ses raisons. Julie a été la première à réagir.

« Déjà, tu sais que nous, on t'aime pour le meilleur comme pour le pire. Donc, de ce côté-là, ne t'en fais pas. Les mensonges, tout ça, on s'en fout. Par contre, que tu n'ailles pas bien et qu'on n'ait pas pu t'aider, ça, c'est le plus important.

— Je vous aime tant, les filles, si vous saviez... »

Nous passons les minutes suivantes dans les bras les unes des autres, émues aux larmes, à nous redire combien notre amitié est magique. C'est un moment très fort.

« Je suis désolée de vous avoir menti. Mais j'étais tellement mal... »

Julie me serre fort. Je hoquette sans pouvoir me contrôler.

« On sait, on sait... Chut, ne pleure pas, ça va aller.

— Et Edgar, tu as essayé de le retenir, de lui parler ?

— Non. Je lui ai juste dit qu'il pouvait aller se faire voir et que ça me ferait des vacances de ne plus me coltiner sa face de raie. »

Après cette entrée en matière, nous passons en revue ma relation avec lui pour faire un petit point sur le personnage. Je parle beaucoup, je pleure beaucoup, je vide mon sac et en prime, je bois comme un trou. Je ne fais alors que dire du mal de lui et mes mots dépassent largement ma pensée. Je le critique et lui refais le portrait à la truelle, ajoutant une nouvelle couche de défauts à celle qui vient tout juste de sécher.

« Dès qu'on est en public, il me coupe la parole comme si j'étais débile et qu'il avait honte... Il ne me rassure jamais sur rien... Il ne m'écoute pas... Dès que je dis un truc intelligent, il me demande dans quel magazine féminin je l'ai lu... Il est prétentieux et égoïste... Et moi, j'avais tellement envie d'y croire que j'ai mis des œillères et fait semblant de ne rien voir et de ne pas donner d'importance à ces petits détails. Même le loyer, alors qu'il sait que je n'ai pas un rond, il le paie pas ! Et dire que j'ai claqué mes derniers euros pour ce trou-du-cul ! » Je suis bourrée et j'en ai marre... « Vous savez où il peut se le mettre, son break ? Hein, vous savez ? Me faire ça à moi ! »

Le vin poussant à la confidence, les langues se délient et les filles m'avouent que, depuis le début, elles ne sentent pas vraiment Edgar. Elles m'ont vue évoluer avec lui et ne sont pas convaincues qu'il soit l'homme qu'il me faut. Honnêtement, je le savais déjà mais encore une fois, je n'ai pas voulu l'admettre.

« Il est grand, il est beau, il est propre sur lui, il a tout pour plaire et si tu cherches l'homme parfait, c'est lui. Extérieurement, j'entends. Mais si tu regardes bien et que tu ne te voiles pas la face, humainement, tu ne peux pas nous faire croire qu'il correspond vraiment à ce que tu veux.

— Alizée a raison, ma belle. Je t'ai toujours entendue dire que tu voulais quelqu'un d'attentionné, qui te tire vers le haut, sur qui tu puisses compter, qui t'admire et que tu admires.

— Je l'admire.

— Toi oui, et encore, je n'en suis plus si sûre. Mais lui ?

— Ce n'est pas de sa faute, en ce moment, on ne peut pas dire que je sois quelqu'un d'admirable.

— Arrête ! Tu ne vas pas en plus lui trouver des excuses ! Désolée, ma belle, mais un homme vraiment amoureux ne t'aurait jamais laissée sombrer comme il l'a fait. Il t'a aidée ? Il t'a soutenue ? Il t'a conseillée ? Même pour le loyer, il est infoutu de te filer un coup de main ! Un mec normal, il t'aurait donné envie de te secouer, il aurait trouvé les mots pour te réconforter, pour te faire réagir et tu n'en serais pas là aujourd'hui. Lui, à part son boulot et faire le cakou dans un dîner en parlant de ses volcans à la con, excuse-moi, il n'a rien fait pour que tu aies confiance en toi et que tu te sentes bien. Vous ne trouvez pas, les filles ? »

Si. Les filles trouvent que Marine est dans le vrai. J'ai mis en route la machine à critiques. Il est inutile d'essayer de l'enrayer et je n'en ai pas envie. Ça m'amuse d'entendre Edgar se faire descendre en flèche, surtout parce que je suis torchée grave.

« Je t'ai toujours dit qu'il était bizarre. Regarde ce qu'il a été capable de faire le jour de son mariage ! »

Lætitia a raison. J'y ai repensé plusieurs fois, à cette histoire. Ce soir, je ne peux pas leur donner tort. Je sais qu'elles ne se seraient jamais permis de le juger si je n'avais pas moi-même déblatéré des horreurs sur son compte. Si elles avaient pensé que j'étais heureuse et épanouie avec lui, elles l'auraient accepté, sans concession. Par amour pour moi, elles auraient fait l'effort de le découvrir, de le comprendre et même de l'aimer. De 20 heures à 3 heures du matin, entre les éclats de rire et les « Tchin tchin, trinquons à la santé de l'autre abruti », Edgar se fait refaire une beauté. Puis, je me remets à chialer comme une Madeleine en répétant comme un disque rayé : « Mais je l'aime, moi, je l'aime, moi... » Je ne sais pas très bien ce que je veux, en fait. Le rire, les larmes, le rire, les larmes. Julie m'explique que c'est la vie. Je sais.

« Je veux qu'il revienne, les filles. C'est plus fort que moi. J'ai trente-cinq ans, je n'ai pas le courage ni la force de tout recommencer. Je sais qu'il n'est pas parfait mais je le connais et je sais gérer ses imperfections.

— Tu l'aimes lui, ou tu aimes l'idée d'être en couple et d'avoir quelqu'un sur place pour te faire des enfants ?

— Je l'aime lui, et aussi l'idée d'être en couple, et aussi d'avoir quelqu'un sous la main pour les enfants.

— Alors, il va falloir trouver une solution pour que tu le récupères. »

Il est presque 6 h 30. Nous avons échafaudé un programme pour faire revenir Edgar à la raison et à moi par la même occasion. Il faut juste que je perde quelques kilos, que je commence le sport, que je démarre mon nouveau boulot pour être active et savoir pourquoi je me lève le matin, que je donne un autre sens à ma vie, que je rencontre du monde, que je sorte au lieu de me terrer chez moi, que je fasse la fête, que je vive, que je m'amuse, que je fasse parler de moi, que je flirte, que je couche si j'en ai envie... Bref, il faut qu'au retour d'Edgar je sois totalement, irrésistiblement, indéniablement et extrêmement attirante, désirable, belle, gaie et convoitée. C'est un bon plan, je crois. Simple mais efficace. Julie, Alizée, Marine et Lætitia viennent de partir. Je me retrouve seule mais je n'ai pas peur. Je suis même optimiste. C'est sans doute parce que je suis beurrée comme un coing. Je sens que je vais m'endormir tel un bébé et prendre le bateau pour aller dire deux mots à ma sorcière préférée...

23

Je n'ai pas un moment de répit. Je me coltine ce soir un dîner avec ma mère qui s'inquiète é-nor-mé-ment à mon sujet. Je ne l'ai pas appelée depuis plus de quinze jours sauf pour lui parler de mon boulot et elle ne sait rien pour Edgar et moi. Je n'avais pas envie qu'elle me parasite la tête avec ses « Je t'avais prévenue » et « Je te l'avais bien dit ». Elle est tenace et si je n'avais pas cédé pour aujourd'hui, elle aurait continué à appeler tous les jours. L'idée m'est plus intolérable que le dîner en soi et, contre fortune bon cœur, j'ai décidé d'y aller même si j'ai conscience qu'à force de faire brûler des cierges à l'église pour que mon histoire avec Edgar dure toute la vie, elle m'a porté la poisse. Elle a même été, début janvier, jusqu'à prendre rendez-vous pour moi avec une voyante. J'y vais le 13, demain. Je ne crois pas beaucoup à ces choses-là mais puisque c'est elle qui raque et que la consultation a lieu la veille de la Saint-Valentin, je me dis que c'est peut-être de bon augure.

Tout bien réfléchi, je ne regrette pas d'avoir fait l'effort d'aller dîner avec ma mère. Elle est formidable et trouve toujours les mots justes pour me rassurer quand je suis au fond du gouffre.

« Tu n'as pas un peu forci depuis la dernière fois, toi ?

— Non, je suis au régime au contraire.

— C'est bien ce que je veux dire, tu as grossi.

— Tu as décidé d'être aimable ?

— On ne peut rien te dire, tu prends tout mal !

— Je ne prends pas tout mal, tu m'agresses en me disant que je suis grosse.

— J'ai quand même le droit de dire à MA fille que je trouve qu'elle est boudinée dans son pantalon sans que ça fasse un drame, non ?

— D'accord, d'accord, je suis boudinée, je suis grosse, je suis moche. Voilà. Tu es contente ?

— Bon, et à part ton poids, tu vas comment ?

— Très bien, merci. Edgar m'a quittée, je suis seule, je n'aurai sans doute jamais d'enfant car je suis vieille et ma mère me trouve boudinée. En un mot, ça va plutôt bien.

— Je t'avais prévenue ! Qu'est-ce que tu lui as encore fait ? Il était si gentil ! »

Je lui ai raconté comme je l'avais fait deux jours avant avec les filles. J'ai vu ma mère encore plus désespérée que moi. Elle pense sincèrement que tout est de ma faute et que si j'avais su comment m'y prendre pour garder un homme à la maison, je n'en serais pas là aujourd'hui.

« Il ne faut t'en prendre qu'à toi-même, ma chérie. Tu veux le beurre et l'argent du beurre et le sourire de la crémière en plus. Un homme, si tu sais y faire, il ne va pas voir ailleurs, ça, je te le garantis ! Crois-en ma longue expérience. »

Je suis vieille. Je suis seule. Je suis fatiguée et je suis naïve. Moi qui croyais qu'elle allait au moins simuler la compassion !

« Tu ne veux jamais m'écouter ! Le jour où tu auras des enfants, tu comprendras qu'une mère ne peut pas vouloir du mal à sa progéniture. Tu es ma fille, tu es seule. Tu n'as pas de mari, pas d'enfant, pas de travail. Tu n'as rien construit à trente-cinq ans. Tu crois que ça m'enchante ? Excuse-moi, je reviens dans une minute...

— Tu vas où ?

— Aux toilettes, reste là et attends-moi. »

Pas bouger, Garance ! Assis ! J'ai souri bêtement aux voisins qui me dévisageaient comme si j'avais une poussée d'urticaire géante. Au bout de dix minutes, ma mère est revenue.

« Ça va mieux ! J'en étais où ? Ah oui. Je me demande bien ce qu'on va pouvoir faire de toi, ma chérie. Tu peux pas faire un effort avec Edgar ?

— Maman, ton nez...

— Quoi, mon nez ?

— Tu as du blanc dans la narine gauche. Essuie-toi, tu me fais honte.

— Parle plus fort, tu chuchotes, comment tu veux que je t'entende !

— Tu as du blanc dans la narine gauche.

— Et là, c'est parti ? C'est juste un peu de cocaïne. Tu as eu la chance de tomber sur une perle rare et il a fallu que tu le laisses partir. Comment tu dis déjà ? Ah oui... il ne te tire pas vers le haut et n'a pas eu l'air concerné quand tu lui as parlé de je ne sais plus quoi.

— C'est bon maintenant. Tu schématises tout et tu comprends rien ! Et mouche-toi, c'est insupportable de te voir renifler comme ça. Tu en as partout.

— Ce n'est pas faute de te l'avoir répété, ma chérie : "La vie est faite de compromis !" Com-pro-mis. Tu es trop difficile et exigeante, il est là le problème, si tu veux mon avis. Pour une fois que tu avais trouvé un homme digne de ce nom qui présentait bien, qui avait de l'allure et qui voulait bien vivre avec toi, tu n'as pas été fichue de le garder un an, jusqu'à ce qu'il t'épouse. Vous en pensez quoi, vous ?

— Nous ?..

— Comme ça fait une heure que vous écoutez notre conversation, autant y participer. »

Ma mère était perchée. Pas moi. Le couple qu'elle venait de prendre à partie était médusé. Elle parlait vite, elle parlait fort. Elle ratait souvent sa bouche en buvant et le vin lui dégoulinait sur le menton. D'abord, il était indispensable que je soigne ma présentation, mon côté gamine attardée ne plaisant qu'aux garçons entre huit et treize ans. Et si, par le plus grand des hasards, il séduisait les plus âgés, c'était juste une question de jours avant qu'ils se lassent pour aller vers de vraies femmes.

« La preuve, Edgar est parti. Il est donc grand temps qu'elle grandisse. »

En deux minutes, j'étais devenue « elle ». Prenant les deux voisins à témoin, qui ne savaient plus où se mettre pour échapper au regard de cette folle, ma mère n'a plus parlé de moi qu'à la troisième personne. Au conditionnel. Il faudrait « qu'elle » apprenne à être plus ouverte et « qu'elle » arrête de critiquer systématiquement les rares hommes qui auront l'extrême bonté de poser leur regard sur « elle ». « Elle » devrait être moins grossière et éviter les plaisanteries grivoises qui ne font rire « qu'elle » et ne plus ponctuer chacune de ses phrases par « bite, couille, cul », c'était sûrement désopilant à douze ans, pas à quarante.

Ma mère s'est levée à nouveau et a réussi en titubant à se traîner jusqu'aux toilettes pour reprendre des forces et définitivement anéantir les miennes. Profitant de cette aubaine, le couple qui me regardait sincèrement navré en a profité pour se faire la malle.

« Prends ton sac, chérie, vite, la voilà qui revient. Bon courage, mademoiselle !

— Merci. »

Je vous épargnerai son retour à table où elle minaudait tellement avec le serveur que j'ai cru qu'elle allait se l'envoyer derrière le bar. Toute repoudrée qu'elle était, elle a repris le fil de son histoire là où elle l'avait laissé sans même prendre conscience que la table d'à côté était vide. « Elle » devrait être plus mature, moins exigeante, moins excessive. « Elle » devrait globalement tout changer chez « elle » et particulièrement son attitude qui ne lui attirerait toute sa vie que des ennuis et les mauvais mecs. Edgar étant, bien évidemment, l'exception dans « son » triste parcours sentimental.

« Maman, stop ! Maintenant, tu arrêtes de parler de moi comme si je n'étais pas là, tu me lâches et on rentre. Tu es ridicule et pas drôle.

— Ah non, non, non, personne ne va nulle part ! Tu m'as fait perdre le fil, j'en étais où ? »

Nous en étions au fait qu'il était déjà minuit vingt, et qu'il fallait que j'arrête de focaliser uniquement sur les hommes riches, beaux, intelligents, fidèles, drôles et amoureux car l'homme idéal n'existant pas, blablabla blablabla.

« Je vais te dire une chose, ma fille : si ton homme est riche et généreux, l'infidélité, si infidélité il y a, n'en est que plus supportable car elle est souvent compensée par de grandes largesses. »

Ça sent sacrément le vécu avec le banquier suisse...

Juste avant de me lever, j'ai rappelé que huit femmes sur dix avaient déjà divorcé dans notre famille.

« Dont toi, ma chère maman. »

Elle m'a rappelé qu'elle, au moins, elle avait été mariée.

24

J'ai le moral dans les baskets et toutes mes belles résolutions sont parties en fumée. Je suis minée. Je n'ai envie de rien. La seule chose que je trouve la force de faire, c'est de m'abrutir devant la télévision et de manger. Manger. Manger. Manger. C'est mon hobby, ma passion du moment, mon lien avec la vie. Pourtant, malgré mon humeur maussade, je n'ai pas voulu annuler le rendez-vous avec mon destin et j'ai vu la voyante aujourd'hui. Si quelqu'un était susceptible de me mettre du baume au cœur, c'était bien elle. Il ne m'a fallu que quelques minutes pour vite déchanter...

« Vous faites quoi dans la vie ?

— Chômeuse, encore un peu moins de deux mois. Je commence un nouveau travail le 2 avril.

— Pour moi, il y a une proposition par rapport à un homme qui doit être assez bouboule parce que ça me pique là, sur le menton... J'ai l'impression qu'on s'est déjà vus ou qu'on se connaît en tout cas de nom.

— Vous et moi ?

— Non, vous et lui. On va vous proposer quelque chose mais faudra bien mettre les points sur les *i*. D'accord ?

— ...

— De savoir exactement qu'est-ce que vous voulez faire, et au prix où que vous voulez le faire. D'accord ?

— En fait, c'est surtout Edgar qui m'intéresse...

— Donc, il faut savoir qu'il y a deux propositions de travail pour moi.

— Pour vous ?

— Non, pour vous.

— J'ai DEJA un travail, donc on ne va pas passer la nuit là-dessus. C'est le cœur qui me préoccupe, pas le reste.

— Là, il faut beaucoup parler, Clarence.
— Garance.
— Je compte sur vous, hein ? Il faut beaucoup parler.
— Avec vous ?
— Non, avec les gens. C'est important parce que ce sera du bouche à oreille. Touc-touc, bouche à oreille...
— Touc-touc...
— Par ailleurs, il y a un homme pour moi.
— Pour vous ?
— C'est un homme pour du boulot mais bon, c'est pas votre truc.
— Quoi ? Le boulot ? Le mec ?
— Oui, mais, louloute, je vous coupe : vous, vous êtes quelqu'un qui pouvez pas être libérée au niveau de votre tête si vous êtes juste au niveau de l'argent.
— Comprends pas...
— Quand elle va bosser Clarence, elle sait qu'elle va avoir un chèque à la fin du mois. Pas vrai ? Donc, qu'est-ce qu'elle va faire ?
— Mais, elle vous le demande !
— Elle va complètement se libérer, louloute.
— Vous avez le même fournisseur que ma mère ou quoi ?
— Mais attention, faites-vous des cartes de visite. Parce que là, je vous vois et vous avez rien du tout. Promis ?
— ...
— Eh ben, y a un truc rigolo, c'est que vous allez le retrouver mais pour lui, il l'a fait exprès, c'est pas un hasard.
— Qui ? Edgar ?
— Dans les soirées, faudra toujours qu'il parle à tout le monde. Vous, vous allez penser qu'il drague tout ce qui bouge alors que non.
— ...
— Par contre, c'est quelqu'un d'archi-affectueux et qui gagne bien sa vie. Alors moi, Clarence, je vous vois pas avoir trente mille enfants.
— Ah non ?
— Votre mari, c'est forcément un Méridional, il nous fout des épices dans tous les plats ! Et ça sent bon, ça sent bon !

— Edgar vient du Lot...

— Chez vous, y a un côté flemme, on est d'accord ?

— En fait, ça dép...

— C'est quelqu'un qui vous trahira jamais mais au début, il sera méfiant, c'est normal rapport à qu'est-ce qu'il a vécu et tout ça.

— Ah... Et Edgar, dans tout ça ?

— Petit, petit, ça va vous gonfler. Oubliez l'allaitement, c'est pas pour vous !

— Ça non plus ?

— Faut pas le laisser passer cet homme-là, louloute. D'accord ?

— Je sais toujours pas de qui vous parlez mais bon...

— Bon, ben voilà alors. Vous n'hésitez pas à me rappeler si jamais vous pensez à des choses.

— Mais bien sûr, on va faire comme ça.

— Votre mec, là, il est pas pour vous. Faut laisser tomber.

— Pourquoi vous dites ça ?

— Hein, louloute, promis ? Votre maman paiera la prochaine fois qu'elle viendra. Au revoir. »

Je me sens vidée, comme surmenée intellectuellement. Je n'ai rien compris à « qu'est-ce qu'elle m'a raconté » et mon destin est aussi fouillis et brouillon que ma vie. C'est dramatique.

Important : penser à demander à ma mère dans quel asile elle est allée dégoter sa diseuse de bonne aventure.

25

Edgar ne m'a pas téléphoné depuis son départ. Je ne sais même pas s'il est bien arrivé. En me levant, j'ai allumé la radio et la télé. J'allume toujours les deux en même temps depuis qu'il est parti, ça me fait une présence rassurante et aujourd'hui j'en ai besoin. Ce matin, j'aurais dû m'abstenir, car j'ai maintenant le moral en dessous du niveau de la mer. « Dites-lui que vous l'aimez avec des fleurs », « Offrez-lui un cœur en chocolat », « Faites vivre votre amour avec un diamant, il est éternel ». Je craque ! Chaque année, c'est la même chose. Oui, je me suis levée du pied gauche mais j'ai mes raisons. C'est la Saint-Valentin ! Je pourrais rappeler l'autre mou du bulbe de Léon pour avoir quelque chose à faire ce soir et avoir, moi aussi, des fleurs, un cœur en chocolat et même, pourquoi pas, un diamant. J'ai dîné avec Léon hier après avoir vu la diseuse de bonne aventure. Il est moche, cucu la praline, mal dans sa peau, mais il a le mérite d'être seul et de m'aimer beaucoup. Ma mère, encore elle, n'a pas perdu une seconde pour recommencer à filer mon numéro de téléphone au fils, encore un, d'une de ses copines qui débarquait à Paris et ne connaissait personne. Elle n'a pas cru bon de me prévenir et quand le fameux Léon a téléphoné pour m'inviter à dîner, j'ai d'abord cru qu'Arthur me faisait une blague.

« Allô ? Ga-ga-ga...

— Oui, oui, c'est ça, Gagaga.

— Ga-garance ? C'est Lé-lé...

— L'électricien ?

— C'est Lé-lé-léon.

— Bon, arrête de déconner, Arthur, c'est pas drôle, je suis complètement déprimée.

— Mais non, je suis le fils d'une a-a-am, d'une a-amie de ta-ta... de ta mère.

— D'accord, oui. Tu t'appelles Léon et tu es le fils d'une amie de ma mère. Bien. Et moi, je suis la maman des sept nains.

— Je te ju-ju, je te jure que je-je m'appe-pelle Léon et que-que c'est ta mè-mère qui-qui...

— Ma grand-mère s'appelle Régine, pas mèmère Kiki. C'est bon, Arthur, je ne suis pas d'humeur. Je te rappelle. Salut. »

Par acquit de conscience, j'ai rappelé Arthur pour vérifier que c'était bien lui qui venait de me jouer un tour à deux balles. Il m'a juré sur nos douze ans d'amitié que ce n'était pas lui. Un peu confuse, j'ai alors contacté ma mère. Elle m'a confirmé qu'un certain Léon devait me téléphoner et que sa mère et elle étaient de vieilles amies du collège.

« Léon est un garçon très bien, mais sache qu'il a eu un accident de voiture il y a huit ans et qu'il a conservé quelques séquelles. Alors, si tu peux éviter de glousser quand tu le verras et te souvenir de ce que je t'ai dit pendant le dîner, ce serait le moment de mettre en pratique ma théorie. Tu comprends, chérie ?

— Ce que je comprends, surtout, et que tu n'arrives pas à te faire rentrer dans le crâne, c'est que je ne suis pas une assistante sociale ! Bordel, c'est vrai, quoi !

— Depuis quand tu dis bordel à ta mère ?

— Depuis que ma mère se drogue ! C'est quoi son numéro, à l'autre tache ? Je te préviens, je le rappelle, mais c'est la dernière fois.

— Tu es mignonne, ma chérie. J'avais dit à Monique que je pouvais compter sur toi et que tu t'occuperais bien de Léon.

— Monique ? C'est pas elle qui avait aussi un fils à Séoul qui désespérait de me rencontrer ?

— Euh, peut-être, si... Je ne me souviens pas. »

Après m'être excusée platement, j'ai accepté à contrecœur un tête-à-tête avec Léon le soir même. Aussi motivée que si j'allais me faire arracher une dent de sagesse sans anesthésie, j'ai réussi à me traîner jusqu'au restaurant. Il était déjà là et m'attendait au bar, comme convenu. En le voyant, j'ai même hésité à passer à côté de lui comme si quelqu'un d'autre m'attendait au fond de la salle. Après tout, il ne me connaissait pas. Je me suis pourtant plantée devant lui. J'étais d'une humeur de dogue.

« Léon ? Tu m'attends depuis longtemps ?

— Non. Je viens d'a-d'a-d'arriver.

— Et on a la table dans combien de temps ?

— Dans dix mi-mi, minutes. Tu veux boire què-què, què...

— Une vodka tonic, je crois que je vais en avoir besoin.

— Ga-ga...

— Garance.

— Ga-ga-garçon ! Une vo-vo...

— Laisse, je vais le faire, sinon le temps que tu la commandes, le resto va fermer. Monsieur, s'il vous plaît ? Je peux avoir une vodka tonic sans glace ? »

Je ne vais pas vous infliger notre laborieuse conversation mais je vous garantis que j'aurais volontiers échangé ma place contre la vôtre. Pour commencer, Léon a mis trois plombes à m'expliquer entre douze mille « dédé, vovo, bibi, mama, gaga, tété, titi et toto » que c'était la première fois de sa vie qu'il dînait en tête à tête avec une inconnue totale et qu'il avait un peu de mal à se décoincer. Une fois assise, j'ai passé les vingt premières minutes à apprendre les menus et la carte par cœur. C'était d'un folichon... Morte d'ennui, je me suis dit que je devrais en profiter pour parler de mon affaire de cœur. Au moins ça nous occuperait. Je me suis lancée dans un monologue sans fin et je n'ai parlé que d'Edgar, de nos problèmes de couple, de nos névroses, de nos différences, de mes envies et de mon amour pour lui. J'ai déballé mon sac et ça m'a fait un bien fou. Léon me regardait avec autant d'expression dans les yeux qu'un poisson pané et je sentais que même s'il avait des choses à dire, il devait d'abord faire le tri entre ses idées et la façon dont elles sortiraient de sa bouche. Il s'est néanmoins senti en confiance, en terrain ami. Suffisamment pour se lancer à son tour dans une version longue, soporifique et dé-déta-détaillée de sa vie, son œuvre. Pour vous la faire courte, Léon travaille en tant qu'informaticien sur la création de nouveaux logiciels de jeux. Il a été marié de vingt-trois à vingt-huit ans. Il n'a pas d'enfant et sa femme l'a quitté la veille de son accident. Depuis, il galère avec les filles et ses problèmes d'élocution y sont pour beaucoup. Je me suis levée quatre fois de table, prétextant un pipi pressant pour téléphoner à Arthur et lui demander de me faire rire.

« Raconte-moi une blague, n'importe quoi, je vais mourir d'ennui si tu ne fais rien.

— Chaque fois que tu dînes avec un mec, tu me fais le même coup, t'es lourde !

— Allez, sois sympa. Ça fait des mois que je ne te l'ai pas demandé !

— OK, OK. Je t'en raconte une seule, je te préviens. C'est l'histoire d'un type qui part en vacances quinze jours et qui donne à son perroquet les dernières consignes : "La gardienne va monter pour t'apporter à manger et à boire, ta cage restera ouverte, tu peux donc te balader, etc." Puis le type s'en va. En rentrant, il est rassuré de voir que tout s'est bien passé mais en ouvrant ses factures, il a une note de téléphone de quinze mille balles. Il va voir Coco et lui dit : "Tu te fiches de moi, c'est quoi ça ?" – "Ah, ben, tu sais, tu étais parti, je m'ennuyais, alors j'ai appelé ma copine dans les îles." Pour le punir, il prend son perroquet, lui déploie les ailes et les cloue sur un mur en le sermonnant avec un truc du genre : "Je vais te faire passer l'envie de téléphoner, moi." Coco est là, cloué au mur, et sur le mur d'en face, il y a un Christ sur sa croix...

— Elle est encore longue ton histoire ?

— Faut savoir ce que tu veux ! Je finis ou pas ?

— Vas-y.

— Le perroquet regarde Jésus et engage la conversation : "Salut, toi. Moi, c'est Coco. Tu es là depuis longtemps ?" – "Deux mille ans." – "Deux mille ans ? Mais t'as téléphoné où ?" »

C'est le seul moment de la soirée où j'ai ri de bon cœur. Avant de quitter le restaurant, j'aurais aimé pouvoir dire à Léon que non, vraiment, c'était gentil qu'il veuille me revoir mais que ça n'allait pas être possible, lui et moi. Résultat, je lui ai promis qu'on se reverrait bientôt.

Voilà qui est Léon. Dans quelques heures, tous les amoureux de la planète vont se retrouver pour un charmant petit dîner aux chandelles qui va coûter bonbon, et échanger des serments d'amour avec un cadeau à la clé et un passage éclair sous la couette. Et moi ? Moi, je vais préparer la fête des amoureux, sans amoureux. C'est la vie mais c'est sinistre. Et injuste. Il me reste Alizée et Julie sur lesquelles personne n'a mis d'option pour ce soir. Si nous n'avons rien de mieux à faire, nous pourrons toujours casser du sucre sur le dos des chéris que nous n'avons pas, en priant quand même pour que l'année prochaine nous passions ce jour J nul et commercial à deux, et si possible pas entre filles...

26

Quand les filles ont un chagrin d'amour, elles perdent en moyenne entre deux et dix kilos en quelques semaines. Dans l'ensemble, elles ne mangent rien, dorment peu et pleurent beaucoup. Moi, les kilos, je les prends. J'en avais déjà trois de trop et, en onze jours, j'en ai pris trois trois quarts en plus. Direction culotte de cheval et bourrelets disgracieux. D'après ce que j'ai lu dans un magazine, les psychologues appellent ça le syndrome de l'autodestruction. Plus les kilos s'installent, plus je me trouve moche, plus je me goinfre et vice versa. Je n'ai même pas envie de me faire vomir. Rien qu'à l'idée d'avoir à me mettre deux doigts dans le fond de la gorge, je suis déjà épuisée. La seule qui est aux anges, c'est ma cellulite qui n'a jamais été aussi bien chouchoutée ni bichonnée. Je la regarde, je lui parle, je la rassure, je la caresse. Après, je pleure encore un peu et je mange beaucoup pour oublier qu'Edgar m'a quittée et qu'à cause de lui, j'ai l'air d'un bébé éléphanteau de dos. Je suis obligée de déboutonner mes pantalons si je ne veux pas avoir la respiration coupée. J'ai le gras des bras qui pend et quand je marche, j'ai l'intérieur des cuisses et des genoux qui se touchent. Dès que je passe devant la glace de ma salle de bains, c'est-à-dire deux mille cent sept fois par jour, je saute sur place pour faire bouger mes chairs ramollos et constater que je ressemble bien à un flan dans une 2 CV. Peut-être devrais-je installer un cadenas sur la poignée du réfrigérateur et des barbelés électrifiés sur les placards de la cuisine ? Dans mon malheur, j'ai de la chance. Je compense mon manque d'amour par un surplus de nourriture alors que j'aurais pu sombrer dans l'alcool ou, comme ma mère, dans la coke. Elle est suffisamment carbonisée pour trouver ça génialement décadent et m'en refiler si je lui en demandais. Physiquement donc, je ne suis pas comme qui dirait au top. Moralement, cela va de soi, c'est encore pire. Arthur, les filles et même Léon se relaient et téléphonent presque trente fois par jour pour me proposer un dîner, une expo, un café ou une balade. Tout est prétexte à me faire mettre le museau dehors. Il faut dire que je vis recluse et les volets fermés.

« Coucou, ma belle, c'est Lætitia. Tu viens avec nous ? On se fait un ciné ce soir.

— Non, je ne peux pas, Léon vient dîner.

— Léon ? Je croyais que c'était un abruti et que tu ne voulais plus le revoir...

— Oui, je sais, mais ça me changera les idées.

— Tu vas mal à ce point-là ?

— Non, je me sens juste énorme, triste et affreuse.

— Tu veux que je vienne ?

— Non, c'est gentil. Je vais vider mon sac et faire le plein d'énergie avec un bègue suivi par un orthophoniste et qui me trouve délirante. Ça va faire du bien à mon ego. »

Léon a débarqué comme prévu à 20 heures pétantes. Je l'ai reçu en jogging et vieilles chaussettes avec un tee-shirt plein de tâches et de trous. Dans le genre sexe à mort, Léon n'aurait pas pu trouver meilleure marchandise sur le marché. Au moins, il n'a pas pu se méprendre sur mes intentions. Pas maquillée, à peine coiffée, je me suis assise en tailleur en face de lui et j'ai attendu qu'il engage la conversation. Léon est sans saveur et sans odeur mais il s'intéresse à moi et il a le gros avantage d'être bègue, ce qui est toujours amusant à replacer dans une conversation quand on n'a plus personne à qui tailler un short. C'est la seule raison de sa présence ce soir.

« Tu es magnifique, Garance. Même habillée comme ça, tu arrives à être sexy. Tu es... »

Et mon bègue alors ? Il est où ?

« Excuse-moi de te couper mais tu as une façon bizarre de parler par rapport à d'habitude.

— Tu as vu ?

— Tu ne... comment dire... tu ne...

— Bégaies plus ?
— Oui, c'est ça.
— J'ai fumé. C'est étonnant comme ça m'aide pour parler. C'est sans doute parce que ça détend.
— Toi ? Tu fumes ? Il y a une épidémie de drogue ou quoi en ce moment à Paris ?
— C'est un copain qui m'en a filé. Depuis qu'il m'a fait essayer, mon orthophoniste ne me reconnaît pas. Apparemment, cette herbe, elle est superbonne.
— Tu en as avec toi ?
— Oui. Le seul problème, c'est que je ne sais pas rouler. Il va me falloir une cigarette et une pince à épiler pour la remplir à nouveau avec le mélange.
— Occupe-t'en pendant que je te sers à boire. J'ai de la vodka et du tonic ou de l'eau du robinet. Tu veux quoi ?
— Comme toi.
— Vodka tonic, alors. »

J'allais fumer l'herbe qui faisait marrer et Léon ne bégayait plus. La soirée s'annonçait bien. J'étais toute fébrile rien qu'en le regardant préparer notre joint et j'avais envie de me laisser aller. Après quelques taffes tirées sur le cône, tout tanguait autour de moi. Autour de nous devrais-je dire. J'avais l'impression d'être sur un tapis volant. J'avais du coton plein la tête et un sourire banane complètement figé jusqu'à la racine des cheveux, comme si j'étais paralysée de la bouche. Léon, lui, riait aux larmes dès qu'il me regardait. Je devais vraiment avoir l'air allumé pour déclencher ainsi son hilarité. Puis il s'est approché. Sa langue a cherché la mienne et nous nous sommes retrouvés l'un sur l'autre à nous embrasser. Aussi étonnant que cela puisse vous paraître, ce premier baiser a été très doux, très agréable. Inattendu. Comme quoi « l'habit ne fait pas le moine ». Je trouve Léon toujours aussi conceptuellement repoussant, toujours aussi intellectuellement limité, toujours aussi bovin et maladroit. Mais croyez-moi, drogué et alcoolisé, c'est un autre homme. Léon m'a déshabillée d'une main, à 2 à l'heure, comme s'il épluchait un oignon, couche après couche, méthodiquement, doucement. Il était à califourchon sur moi et, de l'autre main, bloquait mes bras au-dessus de ma tête. Il a fait durer et durer ces préliminaires pendant lesquels, chose étonnante, il a refusé que je le touche. Puis il s'est levé, a mis de la musique et a démarré un strip-tease aussi élaboré que celui de *Full Monty*. Je n'en croyais pas mes yeux et me suis demandé si j'avais en face de moi le même Léon que celui de la Saint-Valentin. Son herbe et ma vodka lui donnaient des ailes. Il était là, debout en face de moi. Il dansait mal, sans rythme, et faisait tournoyer ses vêtements au-dessus de sa tête en mouillant ses lèvres. Dramatique ! Sa langue était grosse et toute gonflée. Il avait des mimiques de vieux sadique et ne se rendait même pas compte qu'il était grotesque. Je le reluquais, médusée, les yeux sortis de leurs orbites. Quand il s'est retrouvé en caleçon et en chaussettes, j'ai éclaté d'un rire trop longtemps contenu. Il a pris ça pour un encouragement et s'est dandiné de plus belle. On aurait dit une anguille toute frétillante sortie de l'eau. Il a finalement enlevé ses chaussettes et a baissé son caleçon. J'ai failli m'étouffer et avaler ma langue. En voyant ce que j'ai vu et que j'aurais aimé que vous voyiez aussi, j'ai débourré aussi sec et fait atterrir mon tapis volant. La vision était quasi apocalyptique. Le pénis de Léon s'était vraisemblablement arrêté de grandir à l'âge de huit ans. Il avait un zizi en érection de la taille d'un gros bulot...

27

Je me suis rhabillée et, sans même un regard pour le coquillage debout en face de moi, je lui ai demandé de partir sans donner aucune explication. Je bouillonnais, partagée entre la rage de m'être laissé embringuer dans une aventure aussi consternante et celle d'être passée à côté d'une nuit de sexe potentiellement satisfaisante si « l'autre » avait été mieux équipé. Mon désarroi avait pris le dessus sur ma propre volonté et les flatteries de Léon avaient fait le reste. J'aurais sans doute pu continuer à me divertir avec lui sans que notre escapade ne porte à conséquence, mais j'avais un tel désir de rendre la monnaie de sa pièce à Edgar en couchant avec Léon que ma frustration sexuelle l'a emporté sur ma raison. Et une raison d'être frustrée, j'en avais une bonne ! Léon a ramassé ses affaires, les a enfilées en scrutant ses pieds pendant une éternité comme s'ils étaient subitement infestés d'asticots, et s'est exécuté. En traînant les savates, Léon a quitté mon appartement. Il avait l'air sincèrement abattu et son élocution en a pris un coup aussi sec.

« Tu-tu-tu, tu-tu, tu es fâ-fâ-fâchée ? Je suis dé-dé-dé, dé... désolé...

— Va-t'en. Je ne veux même pas épiloguer. Mais va-t'en, merde ! »

Edgar ne s'est pas trompé, un « merde » bien servi est du plus bel effet ! Son coquillage et lui sont partis. J'étais folle de rage contre moi, contre lui, contre Edgar, contre la terre entière et je n'ai pas pu m'empêcher de hurler dans l'escalier « Pine d'huître ! » avant de claquer violemment la porte sur un Léon déconfit.

Calimero a raison, la vie est vraiment trop injuste. Edgar m'a quittée, s'éclate à Cebu avec « Truc » et n'a même pas pris la peine de s'enquérir de ma santé depuis son départ. Il me laisse seule, misérable. Le jour où je me décide à passer du bon temps, l'histoire tourne en eau de boudin et je me retrouve à une représentation du cirque Barnum. La chance m'a abandonnée depuis longtemps. C'est vraiment trop injuste. Aujourd'hui, après une nuit qui a porté conseil, forcément je me sens coupable et minable. Je me déteste. J'ai honte de moi. Je reconnais que j'ai été cruelle avec Léon. Il croyait me divertir et pensait bien faire. Il ne méritait pas de se faire jeter comme ça. Je m'en veux, si vous saviez... Il est inhumain de profiter de la faiblesse des gens gentils et de les tourner en ridicule à la moindre occasion. C'est malhonnête et méchant. J'avais besoin d'un bouc émissaire et Léon était l'homme qui tombe à pic. Je voulais faire payer à quelqu'un la décision d'Edgar et l'état de décrépitude dans lequel je vis en ce moment. *Sorry* Léon. Ce matin, même si j'ai un mal de tête carabiné et que mes cheveux hurlent de douleur, je me sens différente. Ce n'est pas la première fois que vous m'entendez dire ça mais aujourd'hui, je me sens *vraiment* différente. Cette fâcheuse péripétie de la veille m'a sortie de ma torpeur. J'y ai longuement réfléchi et j'ai fini par comprendre. Plus que de Léon et de son pénis de caniche nain, c'est de moi que j'ai été dégoûtée. Je me suis revue, affalée, grasse et offerte, attendant qu'il s'exécute tout en le jaugeant, l'air détaché et cynique, pour mieux le juger et le condamner. Je l'ai humilié, je l'ai maltraité, je me suis ouvertement moquée de lui et lui n'a rien vu tant il essayait de me séduire. Qui suis-je pour croire que je peux mépriser les gens tout en pensant que je suis meilleure qu'eux ? Qui suis-je pour croire que je mérite mieux qu'eux ? C'est l'image que Léon me renvoyait de moi dont j'ai voulu me débarrasser et que j'ai mise à la porte. Je vais très bien maintenant, j'ai pris un coup de fouet et je suis prête à refaire surface. Pour me conditionner, et parce qu'il faut bien commencer quelque part, je vous annonce solennellement que j'entame ce matin, 19 février, un vrai régime. J'ai pensé à une grève de la faim mais je trouve que c'est un peu exagéré et ma mère me l'a assez répété : « Qui ménage sa monture ira loin. » Je fais donc tout comme elle a dit en collant sur mon réfrigérateur une liste équivalente à la moitié d'un bloc :

« *Penser à remplacer les pizzas, les pâtes, les pommes de terre, le pain, le beurre, les gâteaux, les bonbons et le saucisson par des jus de carotte pour la mine, des légumes verts pour les vitamines, de la salade parce que c'est bon et des bouillons, comme ça, pour rien, simplement parce que ça fait bien sur une liste.* »

Après avoir mis tous les aliments désormais bannis dans des sacs pour la gardienne, il ne me reste qu'une brique de lait, un pot de tarama ainsi que des olives dénoyautées que j'ai conservées au cas où quelqu'un viendrait prendre l'apéro à la maison.

Il n'y a rien de pire que de mettre au régime ceux qui n'ont rien demandé sous prétexte qu'on attend d'eux une forme de solidarité. C'est comme les gens qui arrêtent de fumer et qui deviennent antitabac dès que leur décision est prise.

« Cette odeur, c'est épouvantable, je ne sais pas comment vous supportez. Ça t'ennuie de virer le cendrier ? Et si vous pouviez d'ailleurs ne pas fumer entre les plats et n'en prendre qu'une au dessert et pas tous en même temps, ce serait sympa pour les nouveaux non-fumeurs. »

Celle-là même qui enfumait votre voiture les vitres fermées parce qu'elle avait froid quand vous, vous aviez momentanément arrêté, vous bassine aujourd'hui les oreilles avec les méfaits dévastateurs du tabac et le fait que sa volonté ne tient déjà qu'à un fil, donc si vous pouviez l'aider à ne pas craquer en y mettant un peu du vôtre, ce serait assez gentil. À la cigarette, la facho a préféré le chewing-gum. Chewing-gum qu'elle rumine toute la journée comme une vache sous votre nez en vous montrant, en prime, ses amygdales. C'est insupportable, mais vous, au moins, vous avez appris la tolérance et ne dites rien. J'en viens au fait : c'est en pensant à tout cela que je n'ai pas bazardé mes olives et mon tarama. Je suis au régime. Pas la terre entière. J'irai demain faire un plein de courses pour retrouver un corps sain dans un esprit encore un peu perturbé mais qui ne demande qu'à aller mieux. Il faut que je m'occupe de moi et que je me fasse du bien. C'est par là que tous les gens déprimés devraient commencer : par s'occuper d'eux. Par accepter de prendre du temps pour eux, sans culpabiliser de ne pas le dépenser pour les autres.

« Arthur, c'est moi. Je voudrais que tu me donnes le numéro de téléphone de ton club de gym et de l'institut de beauté où tu avais envoyé Benjamin. Tu te souviens ?

— Bien sûr, c'est le mien. C'est pour toi ?

— Oui. Je sais que ça fait vingt fois que je le dis mais j'ai vraiment décidé d'arrêter de me lamenter, et de me bouger. Je te raconterai plus tard, mais en deux mots, j'ai été ignoble avec Léon.

— Léon ? Qu'est-ce qu'il t'a fait ?

— Rien, justement. Et ce matin, j'ai réalisé que si je veux Edgar, ce n'est pas avec la tête et le corps que j'ai que je vais le récupérer.

— Je suis ravi, ma grande, les filles et moi, on se faisait du souci pour toi. Je vais prévenir Ali que tu vas l'appeler de ma part. Il te fera un prix. Profites-en pour t'inscrire à la gym. L'institut dont tu me parles et où j'ai envoyé Benjie, c'est celui du club. »

Maigrir est donc mon point de départ dans cette quête de mon nouveau « moi ». Arthur m'a fait prendre conscience que me muscler est tout aussi important.

« Être mince, si tu restes flasque, ça n'a aucun intérêt si tu veux mon avis. »

Personnellement, je trouve que c'est déjà mieux que rien.

28

J'ai mis un peu de temps avant d'aller au club car je viens de passer six jours de grand ménage et de vide-grenier. On appelle ça le nettoyage de printemps. On n'est pas encore au printemps mais c'est l'intention qui compte. Je n'ai pas chômé une seule minute. J'ai fait des énormes courses. J'ai tout briqué de fond en comble. J'ai fait le tri dans mes vêtements et j'ai décidé de ne plus porter que des décolletés pour mettre en valeur ma petite mais néanmoins ravissante poitrine. J'ai donné mes chaussures démodées ou trop usées. J'ai jeté la vaisselle ébréchée, rangé les placards et mis du « sent-bon » dans chaque recoin de la maison. Je tiens une forme olympique ! Youpi ! J'ai donc écouté Arthur et je viens de prendre un abonnement d'un an dans son club de gym. Il expire le 28 février 2005. Une dame très grande et très mince du nom de Béatrice, assez sophistiquée, me reçoit comme si j'étais une star du show-biz et je m'attends à chaque instant à ce qu'elle me demande un autographe. Je ne sais pas ce qu'Arthur a été leur raconter sur moi mais tout le monde me dévisage comme si j'étais Scarlett O'Hara. À moins que ce soit parce que tout le monde me trouve moche et grosse. Béatrice me fait entièrement visiter le club. Sauna, hammam, piscine pour la gym aquatique ou pour la nage classique, salles de danse, d'aérobic, de musculation, vestiaires, toilettes, cabines de soins, je rentre partout et elle m'explique tout sur le fonctionnement des appareils et les horaires des cours. Arthur, quel amour !, avait déjà réservé et payé pour moi, en cadeau de renaissance, une journée « soins intensifs de remise en forme ». C'est comme ça que Caroline, l'esthéticienne qui vient de me prendre en charge, appelle le programme qu'elle me présente et qu'elle a vendu à Arthur. C'est un programme qui vaut la peau des fesses, j'espère pour mon mécène qu'il est efficace...

Peignoir bien douillet et épais, serviette en éponge, mules, tout est fourni à la réception. Je commence ma journée par un hammam suivi d'un gommage corporel. Son gant charrie tellement de rouleaux de peaux mortes grisâtres et absolument répugnantes que j'ai l'impression de muer. Je me sens obligée de me justifier auprès de ma gommeuse.

« Vous savez, je me lave tous les jours, c'est curieux que j'en aie autant.

— Vous faites des gommages chez vous ?

— Non, pas vraiment. Enfin si, de temps en temps, quoi.

— Oh là là, mais il faut en faire toutes les semaines, c'est important ! Vous allez prendre ça. C'est un exfoliant à base d'huile de noyaux d'abricot qui n'agresse pas votre peau. Vous m'en direz des nouvelles !

— Et c'est cher ?

— Pensez-vous ! Je vous mets la crème hydratante pour le corps qui va avec, vous verrez, ça sent très bon. »

Une demi-heure plus tard, je disais adieu à ma peau de crocodile et bonjour à ma peau satin. Le massage est le prochain soin prévu sur ma fiche.

« Vous êtes tendue, vous ! Des soucis en ce moment ? Vous n'avez pas quelqu'un qui peut vous masser chez vous ?

— Pas en ce moment, non.

— Pas un petit copain ? Jolie comme vous êtes, c'est étonnant. Vous restez sur le dos, ma jolie, on va passer au nettoyage de peau. Ça va, vous n'avez pas froid ? Vous voulez un peu de musique ? Si vous voulez boire quelque chose, n'hésitez pas. Eh ben, dites donc...

— Quoi ? Qu'est-ce qu'il y a ?

— Oh là là, ça pour être déshydratée, elle est déshydratée votre peau ! Vous buvez beaucoup ?

— D'alcool ?

— Non, d'eau. Il faut boire au moins deux litres par jour, c'est important. Et vous la nettoyez comment, votre peau ? Parce que là, elle est abîmée.

— Normalement, avec une lotion démaquillante, un coton et après je me passe le visage sous l'eau.

— Je comprends mieux. Alors vous laissez tomber le coton, vous vous démaquillez uniquement avec les doigts. Vous faites des petits mouvements circulaires, comme ça, et vous essuyez bien avec un Kleenex.

— C'est tout ?

— Pas besoin de vingt produits. Je vous recommande ce lait-là avec un gommage doux pour le visage et une crème de jour pour peau à tendance grasse et rougeurs diffuses. En crème de nuit, vous avez ?

— Non, je n'en ai pas besoin.

— Mais ne croyez pas ça ! Votre peau, la nuit, elle travaille. Elle doit se préparer à affronter les agressions extérieures diverses. La nuit, il faut l'aider. J'ai ce qu'il vous faut, ne vous inquiétez pas. »

Une heure plus tard, quelque huit mille points noirs et comédons ont disparu de la surface de la Terre. Je suis écarlate, j'ai les cheveux gras et tout aplatis sur les côtés malgré le port d'un bonnet ridicule en papier placé au-dessus de mes oreilles. On dirait Simplet. Selon Caroline, ma zone médiane respire désormais la santé et mon teint a éclairci de deux tons minimum. J'ai déjà accumulé tout un stock de crèmes et lotions indispensables et la journée n'est pas finie. Je crains pour mes économies.

« Maintenant, je vous explique. Vous allez garder votre peignoir et votre bonnet et me suivre dans la pièce tout au bout du couloir. »

Je suis sur ses talons. Elle s'arrête pour dire « Bonjour ! Mais quelle mine superbe ! » à quelqu'un que je ne vois pas. À la voix, c'est un homme, mais il est caché par le dos massif de mon esthéticienne qui se croit obligée de se décaler pour me laisser le passage. L'homme est aussi en peignoir, il est pas mal du tout et a surtout l'air nettement moins bête que moi avec ma charlotte sur la tête et ma peau rouge et luisante. Je ne m'attarde pas et fonce jusqu'à la pièce du fond comme si mon peignoir avait pris feu. Plus moche que moi, là tout de suite, je ne vois pas ! Caroline me rejoint tout sourire.

« Je vais vous badigeonner au gros pinceau avec de la cire liquide chaude. C'est la même cire que celle des bougies, ce n'est pas très chaud, n'ayez pas peur.

— Je vais en avoir partout ?

— Partout, sauf sur le visage. Ensuite, je vous enveloppe jusqu'aux chevilles d'un film transparent. C'est le même film alimentaire que vous utilisez chez vous. Quand c'est fait, vous restez sous une couverture chauffante une vingtaine de minutes.

— Je vais faire quoi pendant vingt minutes, moi ?

— Vous reposer. Vous allez perdre beaucoup d'eau et vous verrez, vous vous sentirez très légère après. »

Caroline est consciencieuse. Elle s'applique à m'enduire de cire sans épargner un seul millimètre. C'est un peu chaud mais très supportable. Tant que la cire n'a pas durci... Après, c'est trop tard, je n'ai plus le droit de bouger sinon je risque de briser le moule et il faudra recommencer. Caroline me fait comprendre qu'il serait plus malin d'éviter. Caroline ne plaisante pas. J'obéis donc à Caroline par respect pour Arthur qui finance ces conneries. Je me retrouve ensuite saucissonnée très serré dans un film transparent qui n'autorise pas le moindre mouvement. J'ai l'impression d'être momifiée. C'est une sensation atroce. Ça me démange et je ne peux pas faire un geste. Je suis à deux doigts de fondre en larmes.

« Ça va ? Vous êtes détendue ?

— Non. J'en ai ma claque de l'enveloppement. C'est horrible.

— Allez, encore trois petites minutes et après, on passe à l'épilation du maillot. »

Épilation classique à la cire jetable un peu désagréable, mais rien de comparable avec la torture que je viens de subir. Une petite douche, je m'habille et je suis, il faut le reconnaître, très zen et reposée.

« Alors, ça, c'est pour vous. Ce sont les sacs avec toutes vos crèmes. J'ai rajouté quelques produits dont vous avez besoin. Et ça, c'est votre ticket. Vous me réglerez là-haut. »

Je m'empresse de détailler le ticket dès que Caroline a le dos tourné. Total : 276 euros ! Je n'y crois pas ! J'espère qu'elle parle en anciens euros sinon je file m'inscrire au

RMI ! C'est exorbitant, surtout que je ne lui ai rien demandé. Je suis carrément traumatisée mais je me connais, je ne vais rien oser dire. Mme Béatrice, la responsable, va arriver pour savoir si tout s'est bien passé et si je suis contente de ma journée, je vais lui répondre que « Oui, j'ai vraiment passé un... ».

« Voilà, je suis à vous ! Caroline s'est bien occupée de vous ? Vous êtes contente de votre journée ?

— Oui, j'ai vraiment passé un moment inoubliable. Merci mille fois pour tout. »

Je suis indécrottable, je sais. Je me déteste. Pour ça aussi...

29

Tara et Lilas ont eu une idée géniale. Pourquoi ne profiterais-je pas des quinze jours qu'il me reste avant de commencer à l'agence Adélie pour partir me reposer, bronzer, faire le vide en vacances et continuer sur ma lancée pour perdre les quelques formes « boudinesques » qu'il me reste ? J'ai une volonté de fer que je puise dans les épinards et entre le sport, les légumes verts, les bouillons dégraissés et le manque notoire de sexe, je vous annonce que j'ai déjà perdu deux kilos sept cent trente-deux. Ils sont toute une bande de copains-copines à avoir réservé une grande maison en Martinique qui a pratiquement « les pieds dans l'eau » selon l'agent de voyages. Et si celle que j'ai vue en photo sur la brochure est vraiment la maison qui a été louée, alors le paradis existe sur cette terre. J'y serai du 16 au 31 mars. On décolle à 15 heures aujourd'hui. La géographie n'est pas mon point fort, mais si jamais l'avion passe au-dessus de Cebu, je m'autoriserai à faire un petit coucou à ce trou-du-cul d'Edgar qui ne m'a toujours pas téléphoné. J'ai trouvé l'idée des vacances excellente. D'autant plus qu'à part un billet d'avion, je n'aurai rien d'autre à payer une fois sur place puisque tout a déjà été réglé et que je ne compte pas vraiment pour une vraie part, ne monopolisant pas une vraie chambre.

« On se serrera un peu car au niveau couchage, on risque d'être un peu juste, mais on va bien se marrer, tu vas voir. »

Je n'en doute pas. Ça me fera le plus grand bien de ne pas rester à Paris à attendre un coup de fil des Philippines qui ne viendra sans doute jamais. C'est ce que je me suis dit pour me motiver. Me voilà donc parée pour faire le plein de soleil, de vitamines et de beaux mecs bronzés. Mon moral est au beau fixe et je sens que ma libido est toute frétillante dans le bas de mes reins. Seulement, pour tout vous dire, j'appréhende. Quand j'étais jeune, à vingt ans, il suffisait de regrouper toute une ribambelle de potes pour que les vacances tournent à la version X de *Tournez manège*. Et puis les couples se sont formés au hasard d'une soirée élection de miss Gros-Nichons ou d'un barbecue *on the beach*. Aujourd'hui, les enfants ont poussé comme des champignons et certaines de mes copines sont mamans. Chaque été, tout ce petit monde part en vacances entre couples et leurs enfants sont, eux aussi, les meilleurs amis du monde. J'ai arrêté de partir avec eux. Trop déprimant pour une célibataire. Tara m'a prévenue qu'il n'y aurait que des couples avec des mouflets. Aïe ! Mais j'ai appris que la Martinique en mars, c'est un vivier pour les célibataires. Que dis-je ! C'est *le* vivier où je me dois d'être. Il n'en fallait pas plus pour me convaincre qu'avec eux, l'hiver au soleil serait sûrement chaud. Très chaud. Je décolle dans quatre heures dix et je n'ai pas encore réussi à faire entrer mes dix-huit paréos, mes soixante-quatre bikinis ni mes quatorze pots de crème à bronzer dans ma valise. J'ai pris toute la gamme des coefficients, du soixante qui laisse le visage blanc comme un linge, version « mime Marceau à la plage », au zéro qui n'est autre que de la graisse à traire pour fabriquer des grands brûlés. Si je n'accélère pas la cadence, je vais être considérablement à la bourre et comme il est hors de question que je rate l'avion, je vous abandonne, le temps de tout boucler.

*
* *

Coucou, me revoilou... Je viens juste de rentrer à Paris. J'ai atterri ce matin aux aurores. L'aéroport était bondé de gens sur le retour ou sur le départ, les uns ayant meilleure mine que les autres. Je suis dorée à souhait comme un petit Lu et belle à croquer avec mes kilos en moins et mes nouveaux muscles bien galbés par la natation. L'hiver a été chaud. 40 °C à l'ombre. Je ne m'étais pas trompée sur les températures. Pour le reste, personne n'est à l'abri d'une erreur de jugement et j'avais raison d'appréhender. Faire tourner une maison où se côtoient onze adultes et une douzaine de gamins complètement déjantés sans un escadron de filles au pair, c'est laborieux. En tant que sœur et pire, sœur de la copine « qui n'a rien payé à part son billet d'avion et qui ne participe pas financièrement à la vie de la communauté », il a fallu composer et s'impliquer.

Même si personne ne m'a demandé de me lever si tôt, il me semble déraisonnable d'essayer de dormir entre les portes qui claquent, les enfants qui braillent, les parents qui gueulent qu'il ne faut pas me réveiller et que non, ça n'est pas une bonne idée de me mettre le petit doigt dans un verre d'eau pour voir si je vais faire pipi au lit en dormant. Personne ne m'a demandé de faire les courses non plus, mais je suis tout excitée à l'idée d'aller passer trois heures seule avec mon Caddie dans un supermarché, loin de *Pocahontas* et du *Roi Lion* qui commencent à me les briser menu. On ne me demande rien, donc, mais je fais tout avant que quelqu'un me reproche de me la couler douce aux frais des princes et princesses. Vous me retrouvez un peu plus tard, joviale, roucoulant sur la plage avec un bellâtre dont je n'ai toujours pas entendu le prénom à cause de Nathalie qui me hurle dans les oreilles que si ça continue, elle va passer sa fille par la fenêtre. Même si je suis plutôt pour, sur une plage, ça ne va pas être simple de trouver une fenêtre. Si personne n'intervient et que Nathalie met l'une de ses menaces à exécution, la petite Viktoria va vraiment passer le reste de ses vacances enfermée dans la buanderie... là où JE dors. Et ça, c'est une très mauvaise nouvelle ! Suffisante en tout cas pour me faire bondir avec la ferme intention d'intervenir avant qu'elle ne transforme sa diablesse en descente de lit. Je n'ai pas le temps de me rasseoir qu'Hélène, sale gosse grosse et immonde qui a toujours la morve qui lui coule des naseaux, vient de coller une beigne à Sibylle qui, elle, vient de lui mettre une crotte de chien dans son seau. Il y a décidément des claques qui se perdent mais malheureusement, on ne m'a pas autorisée à les donner. Dommage, je me sens d'humeur à frapper. Trente minutes après, j'ai beaucoup couru pour calmer mes oies, je sens bien fort la transpiration et je constate, la bave aux lèvres, que ma serviette est vide. Le bellâtre en a profité pour se carapater. Alors que les mères de famille dissertent sur le manque de savoir-vivre des méchants chiens qui polluent nos trottoirs avec leurs déjections et qu'elles condamnent les maîtres qui ont le toupet de les lâcher sur les plages, concrètement moi je viens de perdre une nuit torride à cause d'une abrutie de six ans qui n'est toujours pas sortie de sa phase pipi-caca. Mais tout le monde s'en fout, les anecdotes sur Mme Machin qui a glissé sur une crotte et s'est cassé la cheville la veille de Noël sont sans doute plus captivantes. C'est carrément sur le menton que j'ai envie de lui écraser sa crêpe au Nutella à cette petite morveuse de Sibylle ! Mais bien que la tentation soit forte et ma haine à son point culminant, je sais aussi qu'à cet âge-là les enfants rapportent. C'est trop risqué. Un croche-pied malencontreux suffira largement à lui faire dire adieu à son quatre-heures, à lui faire tomber sa dent de lait qui bougeait déjà un peu et à me rendre ma joie de vivre. Elle sera de très courte durée...

Quand le soir arrive, j'ai perdu beaucoup d'eau à force de transpirer. Yannis, quatre ans, a eu l'excellente idée d'envelopper ses crevettes mortes avec mon soutif de maillot et d'enterrer le tout emballé dans mon paréo préféré, le plus cher aussi, à cent pieds sous terre : « Pou pas que lé quevettes è soillent manyées pa lé quabes. » Je hais les moutards analphabètes. Mais il ne faut surtout pas le gronder, dixit la charmante et non moins laxiste Marie-Noëlle, sa mère, car le chérubin a fait ça pour rire. C'est en effet hilarant. Sauf que le « pauvre chéri » ne sait plus, sur les deux kilomètres de plage, où il a enterré mes trésors. Par contre, vu la tête de mon espadrille, je sais de quoi il s'est servi pour creuser ! Marie-Noëlle, qui se prend visiblement pour la fille du Père Noël et pense que je mets encore mes souliers dans la cheminée le 24 décembre au soir, a proposé de me dédommager. Un jour. Je remonte enfin de la plage les seins à l'air puisque j'ai dit adieu à mon soutien-gorge et avec une jupette en tire-bouchon qui a également servi d'épuisette. Il est inutile de préciser qu'elle a rétréci d'au moins un mètre à cause de l'eau salée. Mais j'exulte car je suis une bonne pâte et que je sais que les vraies vacances vont pouvoir commencer. La soirée est à moi et, sans aucun doute, prometteuse. D'autant plus que j'ai déjà quelques belles couleurs. À mon programme, apéritif au bord de l'eau, restaurant branché, boîte à la mode et nuit très câline dans les bras d'un beau Black qui me susurrera au creux de l'oreille que je suis la plus exotique des créatures. C'est pour ça que je suis venue. Pas eux. Charlie s'est endormi encore en maillot sur le canapé du salon et a mis ses pieds pourris pleins de sable sur les coussins où j'aime poser ma tête. Françoise, Nathalie et Alessia jouent au Scrabble sur le bar de la cuisine, Jean-Jacques, Augustin et Laureen ébouillantent les homards. Laureen hurle que « c'est atroce de les faire mourir comme ça ! Tu as vu, ils essaient de s'échapper en s'accrochant aux parois. Ils doivent souffrir, les pauvres, c'est horrible ! Vas-y, mets le couvercle, vite ! Attends, soulève-le deux minutes... Je voudrais juste voir en combien de temps ça meurt, ces bêtes-là, quand l'eau ne bout pas », pendant que Gilles et Julien bêtifient avec les mioches devant une cassette. Entre les « Chut, on n'entend rien ! » des enfants que je dérange en faisant du bruit et les « Tu vas où ? » des adultes, mes espoirs de coucherie s'envolent en fumée. Au bord de la *nervous breakdown*, j'arrive malgré tout à poser ma question.

« Vous n'êtes pas prêts ? Vous ne sortez pas ?

— Hé, les filles, elle est marrante votre sœur ! On voit bien qu'elle n'a pas d'enfants et qu'elle ne sait pas ce que c'est ! »

Piquée au vif, je suis sortie seule. Je me suis retrouvée dans une boîte ringarde à mort. La première que j'ai trouvée dont j'avais vaguement entendu parler par le bellâtre de la plage. J'ai dansé le zouk. Non. J'ai été *obligée* de danser le zouk, nuance. Je n'étais pas là depuis deux minutes que je me suis fait alpaguer par un groupe de mecs en séminaire sur l'île. Vilains, bourrus et bourrés, ils ont passé la soirée à se frotter allégrement contre mes cuisses. J'ai profité d'un moment d'absence de cette bande d'obsédés pour prendre mes jambes à mon cou avant de me faire violer au milieu de la piste, et je suis rentrée. En larmes. J'ai raconté le lendemain que je m'étais littéralement éclatée et que j'avais rencontré plein de gens étonnants. L'orgueil, il ne me reste plus que ça... Pour toutes sorties, nous sommes allés, soit environ vingt-quatre personnes dont douze moutards électrisés, manger une glace sur le port, à la pointe du Diamant. Deux fois. Deux fois en quinze jours. Non, vraiment, j'ai bien fait de partir décompresser sous les tropiques avec quelques camarades, vous voyez, ça m'a fait le plus grand bien.

30

Poisson d'avril ! Poisson d'avril ! Poisson d'avril ! J'ai passé cette journée de jeudi 1er avril avec mes nièces et je n'ai pas pu bouger d'un iota sans me faire coller partout des dizaines de poissons en papier. Je crois avoir joué le jeu jusqu'au bout et qu'à la fin de la journée, ma mission de tante exemplaire était accomplie. Pour faire durer le plaisir d'être enfin seules avec leur tante préférée, Capucine, Rose, Saskia et Kyra ont voulu que je les emmène au Jardin d'Acclimatation. Je suis trop faible pour refuser et comme je veux qu'elles m'aiment, j'ai cédé sans même essayer d'expliquer pourquoi le jardin d'Acclimatation n'était pas, contrairement à ce qu'elles croyaient, une bonne idée, compte tenu que je souffrais du décalage horaire, que j'étais exténuée et que je ne roulais pas sur l'or en ce moment. Mais je dois bien ça à Tara et Lilas qui ont largement financé mes vacances et à qui je ne me voyais pas taper du blé pour distraire mes nièces. Trop contentes de se débarrasser quelques heures de leurs rejetons, elles ne se sont pas fait prier.

« Mais c'est une excellente idée, ça ! Vous obéissez bien à Garance, les filles, et vous êtes sages. Promis ?

— Et vous ne lui demandez pas quelque chose toutes les deux minutes. C'est compris ? Et les filles, pas question de rapporter des poissons rouges. C'est clair ? Garance, je compte sur toi, tu veilles au grain.

— Mais oui, t'inquiète. Allez, on est parties, les filles. »

J'ai passé l'après-midi avec un poisson de la taille de *Sauvez Willy* accroché dans le dos, suivie par une horde de gamines excitées comme des puces qui ricanaient à chaque pas. Entre l'entrée, les attractions que les filles réclamaient à cor et à cri, le premier goûter, le deuxième goûter parce que le premier n'était « pas trop bon », les bonbons, le premier petit cadeau, le deuxième petit cadeau « parce que le premier était nul », la prochaine fois, pour rentabiliser la journée, je viendrai vers 6 heures du matin et n'en repartirai que vers 23 heures. Et si je reviens un jour, les filles viendront sans manteau, même s'il neige, je m'en fous. Elles porteront elles-mêmes leurs petits sacs à main avec leurs billes et leurs bijoux en toc dedans, et se débrouilleront comme elles veulent pour ne pas percer le plastique dans lequel évolue un ignoble poisson rouge à moitié grabataire qu'elles ont gagné à la pêche miraculeuse pour cause de tricherie. Celui-là même que mes deux sœurs m'avaient interdit de rapporter. Dans le feu de l'action, je me suis emballée. Le plus frustrant, c'est qu'à peine avaient-elles jeté leur dévolu sur une attraction, quand j'étais arrivée à les mettre d'accord, qu'elles ne pensaient qu'à une chose : aller tout de suite, *maintenant*, à la suivante. Quand elles arrivaient enfin à la suivante, elles réfléchissaient déjà à l'endroit où elles iraient juste après. Du coup, j'ai le sentiment qu'elles n'ont profité de rien.

« C'est nul les miroirs, et le manège je déteste, je veux aller faire du poney.

— Ça pue les poneys, c'est nul. Moi je veux aller dans le train fantôme.

— Pas le crain fantône, j'a crop peur !

— J'ai dix ans, moi, je te ferai dire. Alors quand même, hein, le train fantôme, j'ai le droit.

— Écoutez, les filles, soit on fait tout ensemble, soit on rentre. Vous choisissez.

— Je veux pas aller au manège, je veux les poneys.

— Et moi je veux le manège.

— Conne.

— Les gros mots, pas avec moi, je te l'ai déjà dit, Capucine. Tu t'excuses.

— Elle veut jamais rien de qu'est-ce que je veux !

— Tu t'excuses !

— Pardon.

— Et maintenant, vous vous décidez. Je compte jusqu'à trois, je vous préviens. À trois, on rentre si vous n'avez pas choisi.

— On va où tu veux si tu fais les attractions avec nous.

— Quoi ?

— Allez, dis oui ! »

Ma faiblesse me perdra. C'est comme ça que je me suis retrouvée à trotter sur un cheval vissé sur des rails qui se balançait d'avant en arrière, à naviguer sur la rivière enchantée, à faire des tours et des tours de manège dans un ridicule avion qui monte et qui descend, à me perdre dans le labyrinthe de vitres sans pouvoir trouver la sortie si je n'avais pas été aidée par une maman. J'ai par contre résisté à l'appel des montagnes russes et j'ai laissé les filles y aller seules.

J'avais tout calculé. Un tour ne durait que six minutes. Elles en avaient pris deux. J'avais largement le temps d'aller me chercher à boire et de revenir tranquillement. Exact si j'avais vécu sur une autre planète. Pour me faire une blague, Kyra a fait semblant d'être malade. Capucine, toujours prête pour un bon coup, s'est mise à hurler, réclamant qu'on arrête cette satanée machine. J'ai su plus tard que la machine avait été stoppée quand je commençais juste à siroter mon jus d'orange bien frais et à profiter enfin d'un moment de répit bien mérité. Une fois descendues, les filles ont inventé une histoire à dormir debout comme quoi elles étaient venues seules ici, sans grande personne, et qu'elles n'avaient plus d'argent pour prendre le métro et rentrer chez elles. Attendri, le type des montagnes russes leur a remboursé les huit tickets que j'avais payés en leur recommandant d'être prudentes sur le trajet du retour. Quand je suis revenue, forcément, elles avaient disparu. Vous avez déjà été vraiment paniqué ? Vraiment, vraiment paniqué ? Je me voyais déjà appeler mes sœurs en leur annonçant que les quatre filles s'étaient évaporées alors que je ne les avais pas quittées des yeux. Ou si peu. Douze petites minutes de rien du tout. Je suis tombée dans les pommes. L'angoisse, le stress, la peur bleue de les avoir perdues. Je me suis réveillée à l'infirmerie, blanche comme un cachet d'aspirine et toute tremblante. Les filles étaient là, les bras chargés de bonbons et de gâteaux achetés avec l'argent que le gentil monsieur leur avait donné pour les tickets de métro. Je peux vous dire qu'elles n'en menaient pas large. J'ai eu la force de me lever, de demander une explication que Capucine m'a fournie avec moult détails, et de leur filer une belle rouste à chacune. C'est avec un sentiment de profond soulagement que je les ai raccompagnées chez Tara. Je n'ai pas vendu la mèche. J'avais conclu un marché avec les enfants. Plus jamais ça sinon je cafte.

« Elles ont été sages ?

— Adorables.

— Mais c'est quoi tous ces paquets ! Tu t'es encore fait avoir ! Qu'est-ce qu'on avait dit ?

— Allez, je vous laisse, les filles. Je suis déjà très en retard.

— Tu ne restes pas dîner ? On se fait un petit truc rapide, les filles ont école.

— Non, tu es mignonne. Je commence à bosser demain et il faut que je dorme si je veux être opérationnelle. C'est mon premier jour. »

Je suis rentrée sur les rotules mais j'ai quand même trouvé l'énergie d'appeler les filles pour leur proposer une sortie. Entre grandes personnes. J'avais besoin de faire la fête, de boire, de m'amuser, de décompresser et de me faire draguer après cette période de jeûne à tous niveaux. Julie avait justement reçu un carton d'invitation pour aller sur une péniche amarrée sur les quais, près du pont d'Iéna. Un de ses copains avait décidé de louer l'endroit tous les week-ends pour y organiser des superfêtes. Avant de les rejoindre au restaurant, j'ai dormi un peu et me suis réveillée dans le cirage total. Je me suis lavée, changée, j'ai avalé deux comprimés de Guronsan pour tenir le coup et suis allée chez Julie retrouver la bande.

« Waouh, qu'est-ce que tu es bronzée !

— Mais tu as maigri, en plus ! Tu es magnifique !

— Et vous, les filles, comment ça va ? Vous êtes en superforme, vous aussi ! Faut que je vous raconte mes vacances, vous allez halluciner... »

Je leur ai raconté mes quinze jours de couvent tout en sirotant une vodka tonic, puis nous sommes arrivées sur la péniche. Un peuple de folie attendait devant la porte. Le Tout-Paris était là. Julie connaissait les organisateurs et plus particulièrement Matthieu qui était à l'entrée et nous a fait passer devant tout le monde. Nous n'avons pas attendu plus de deux minutes sur le quai avant de nous retrouver lâchées dans l'arène.

« Julie, tu vas voir Sabine de ma part et tu lui dis que c'est moi qui t'envoie. Elle va te filer un carnet de boissons pour toi et tes copines. Mais vas-y maintenant avant qu'elle soit débordée.

— Merci !

— Amusez-vous bien, les filles, et soyez sages ! »

Le piston, il n'y a que ça de vrai...

31

C'est le trou noir. « Elle va te filer un carnet de boissons. » C'est l'une des dernières phrases que mon cerveau ait imprimées. Je me souviens juste que je ne suis pas rentrée seule et que je ne suis pas rentrée chez moi. L'homme avec qui j'ai passé la nuit s'appelle Denis. Ça, je m'en souviens car je n'ai pas arrêté de l'appeler « la Malice ». J'imagine que ça a dû me faire rire pour que je le répète cent fois. Je crois qu'il était brun. Je crois qu'il était grand. Je crois qu'il connaissait déjà Lætitia. Ou Marine peut-être. Je ne sais plus. Je crois qu'il habite quelque part dans le Xe. Je crois qu'il m'a prise par terre car j'ai les coudes et les genoux brûlés au deuxième degré et que je n'ai pas d'autres explications. Je sais que nous avons fait l'amour car j'ai l'impression d'avoir séché à cheval sur un tonneau. Je sais enfin que j'ai pris un taxi jusqu'à chez moi car j'ai retrouvé une fiche sur laquelle est notée mon heure de prise en charge : 6 h 50. Je ne sais pas, par contre, comment j'ai pu ne pas oublier que je devais aller bosser. Un éclair de lucidité, sans doute, qui m'a sortie de mon lit à 7 h 30 pour me préparer. J'ai dormi moins de huit minutes et je tiens la plus belle gueule de bois de tout l'univers. C'est parfait pour mon premier jour de travail.

M. Charvey m'a accueillie en personne quand je suis arrivée vers 9 heures et quelques. 9 h 45, exactement. Je suis venue en voiture et comme j'ai refusé de dépasser les 25 kilomètres/heure, j'ai mis plus de temps que prévu. Les gens ne sont pas patients, c'est dingue ! Sur le périphérique, alors que j'étais en seconde, le nez collé au volant, sur la voie du milieu et même pas sur celle tout à fait à gauche, je me suis fait klaxonner. J'ai même dû mettre mes *warnings* pour avoir la paix. Depuis que je suis debout, de toute façon, je fais tout au ralenti et j'ai tellement mal partout que même marcher est une torture insupportable. Pour un premier jour, ça la fout un peu mal de débarquer la tête à l'envers, les yeux rouges, explosée de fatigue et les cheveux encore humides après la douche. M. Charvey me souhaite la bienvenue. Il me parle gentiment mais un peu fort, je trouve, et ses mots résonnent dans mon crâne aussi violemment que si j'avais des carillons accrochés aux tympans. J'essaie de le fixer droit dans les yeux mais je ne peux pas m'empêcher de loucher. Il faut que je prenne appui sur une table, un mur, une chaise si je ne veux pas tomber à la renverse. Je crois que mon corps est trop lourd pour que je parvienne à le porter toute seule aujourd'hui. Nous passons de bureau en bureau et il me présente, avec une courtoisie empreinte de fierté, ses « ouailles », comme il appelle ses collaborateurs. Je serre des mains moites, molles, viriles, petites, grosses, fines, et je suis incapable de faire le lien entre le visage et le nom qui va avec. Normal, je ne regarde que les doigts. J'ai bien peur que le cérémonial ne soit à refaire si un jour je me décide à venir travailler à jeun. Je mélange tout, les prénoms, les noms de famille, les spécialisations, les départements et il ne sert à rien de vouloir faire bon effet car je me vautre à chaque tentative. J'ai beau me concentrer du mieux que je peux, je ne retiens rien. C'est le vide absolu dans les deux hémisphères. Je dois avoir des fils qui se touchent là-haut et qui court-circuitent l'appareil.

« Isabelle ! Et donc vous êtes comptable ?

— Non, je suis juriste et je m'appelle France.

— Ah... D'accord, je vois. Donc, c'est vous Isabelle ?

— Non, moi c'est Ulysse. La prochaine fois, souvenez-vous qu'il n'y a en principe que les hommes qui portent la barbe. Ça vous aidera. »

Tout le monde me regarde bizarrement et M. Charvey, qui m'a connue à l'époque où j'avais encore ma langue, est surpris par mon attitude, mon silence et ma façon de parler. Il y a de quoi. J'ai comme une patate chaude dans la bouche.

« Vous êtes sûre que ça va ?

— Il y a beaucoup de bruit ici, non ?

— C'est plutôt assez calme par rapport à l'effervescence habituelle. Je pense que le mieux, pour ce matin, c'est de vous montrer votre bureau et que vous passiez en revue les différents dossiers dont vous allez être en charge. Vous rencontrerez le personnel des autres étages demain. Je peux juste vous donner un petit conseil ?

— Mais bien sûr.

— Demain, arrivez à l'heure et essayez dans la mesure du possible d'avoir des chaussures de la même couleur.

— Ah oui, tiens ! C'est drôle ça ! Ah, ah, ah... ! Ah, ah, ah... ! Je suis désolée ! Ah, ah, ah... ! Je suis désolée, je n'arrive pas à m'arrêter de rire...

— ...

— Non, vraiment, excusez-moi... Ah, ah, ah... ! Je me calme, je me calme. Je suis vraiment confuse, je ne sais pas ce que j'ai.

— Autre chose, Garance...

— Oui ?

— Rappelez-vous également qu'on n'a jamais deux fois la possibilité de faire une première impression. Vous avez de la chance que je vous ai recrutée avant de vous voir aujourd'hui.

— Je sais, oui.

— Voilà votre bureau. Vous n'êtes qu'à quelques mètres de la machine à café, ce dont vous devez avoir bien besoin aujourd'hui.

— D'une machine ?

— Non, d'un café.

— On peut baisser les stores ou ils doivent être relevés tout le temps ?

— Si vous êtes en réunion, vous les baissez ; sinon, c'est plus convivial de les laisser ouverts.

— Merci beaucoup, je vais me chercher un petit café et je m'y mets. Je ne voudrais pas vous faire perdre plus de temps.

— À plus tard. Si vous avez besoin de quoi que ce soit, d'un renseignement, de fournitures, demandez-le à ma secrétaire. Elle s'occupera de tout jusqu'à ce que vous vous familiarisiez avec les gens et les lieux.

— Merci. »

J'ai fermé ma porte en regrettant de ne pouvoir accrocher sur la poignée une pancarte *Do not disturb*. J'ai baissé les stores malgré les recommandations du patron, je me suis assise et tout s'est mis à tanguer. J'ai juste eu le temps de me lever, de me précipiter pour attraper la poubelle en plastique, de la positionner en face de ma bouche et de vomir dedans. Malheureusement, les poubelles en plastique de bureau sont souvent perforées comme de la dentelle vers le haut et ce n'est pas la première fois que je dis qu'il y a trop de trous ! La puissance du jet a amplement suffi pour en mettre partout. Je me suis effondrée en larmes devant l'ampleur des dégâts. Je faisais partie de l'agence Adélie depuis à peine deux heures et en deux coups de cuillère à pot, j'avais ruiné une dizaine de dossiers désormais mouchetés de gerbi pour la postérité. Malgré mes efforts et ceux de mon gilet, prêt à rendre l'âme pour que je conserve mon emploi, je n'ai pas réussi à tout éponger avant que Dorothée, une des secrétaires, n'ait eu la bonne idée de venir se présenter.

« Toc, toc, toc. Je peux entrer ? C'est Dorothée.

— Attendez, attendez. Je finis juste un truc et je viens vous voir dans votre bureau. J'en ai pour deux minutes.

— Vous avez une drôle de voix. Vous allez bien ?

— Oui, oui. J'arrive. Je finis ça et j'arrive. »

Je pense que Dorothée ne comprend pas notre langue puisqu'elle est entrée quand même. J'étais debout devant la fenêtre grande ouverte en train de secouer la poubelle pour en balancer le contenu sur la terrasse du dessous.

« Qu'est-ce que vous faites ? »

Elle m'a foutu une telle trouille que j'en ai lâché la poubelle qui a atterri chez les voisins.

« Euh...

— Vous vous amusez souvent à jeter votre poubelle par la fenêtre ?

— ...

— Mais... c'est quoi, cette odeur ? »

Elle a balayé mon bureau du regard et a immédiatement compris, vu l'état de mes dossiers, que j'avais été malade. À sa place, j'aurais déguerpi en courant mais sa curiosité a dû l'emporter sur son dégoût car elle est restée plantée là comme un piquet à me dévisager. Entre mes relents de vodka, mon haleine de phoque, mes yeux écarlates et mon Rimmel que je sentais dégouliner sur mes joues, il m'était impossible de l'affronter. Je me suis sciemment retournée pour, de nouveau, faire face à la fenêtre.

« Vous êtes malade ? Vous voulez que j'aille chercher quelqu'un ? Vous voulez de l'aspirine ?

— Non. Ça va bien, merci.

— Sophie ! Sophie ! Viens voir, vite ! La nouvelle, elle est malade, elle a vomi ! Apporte de l'aspirine, vite !

— Ce n'est peut-être pas la peine d'ameuter tout le quartier. Je suis juste un peu patraque aujourd'hui, c'est tout. Je crois que j'ai une gastro, c'est rien, ça va passer.

— Si j'étais vous, je laisserais la fenêtre ouverte pour aérer. Si vous avez besoin de moi, je suis dans le quatrième bureau en partant de la gauche, au fond du couloir, près de la photocopieuse, après la grande salle de réunion et juste en face du bureau de Sylvie. Vous vous y retrouverez ?

— Peut-être pas aujourd'hui. »

J'ai passé une partie de la matinée à essayer d'expliquer aux voisins du premier étage que la fille qu'ils avaient devant eux, qui voyait double et sentait mauvais, était bien une nouvelle collaboratrice de l'agence Adélie et qu'elle souhaitait juste récupérer sa poubelle qui était arrivée sur leur terrasse par un malencontreux hasard de la vie. Et que oui, il y avait effectivement un liquide très nauséabond dedans, mais que c'était normal, il ne fallait pas qu'ils s'inquiètent, j'avais les choses en main. Par miracle, je suis remontée par l'escalier sans rien me casser, une main agrippée à la poubelle rescapée, l'autre à la rampe pour ne pas glisser. De retour à mon bureau, j'ai été rincer la poubelle et me suis aperçue que mes stores avaient été relevés. Pour me donner de la contenance si quelqu'un venait à passer dans le couloir, je me suis mise à feuilleter les dossiers puis à transvaser leur contenu dans des chemises neuves. Je sortais une feuille, je faisais semblant de la lire, très concernée, et je la reclassais. J'ai répété l'opération une bonne centaine de fois et je devais avoir l'air totalement absorbée car personne n'est venu me déranger. Calée dans un énorme fauteuil qui appelait à la sieste, j'ai mis deux bonnes heures pour faire ce que d'habitude j'aurais fait en vingt minutes. Vers 13 h 30, je suis descendue au parking pour m'assoupir une petite demi-heure dans ma voiture, à l'abri des regards indiscrets. Je me suis réveillée en sursaut à 20 heures, dans le noir total, ne sachant plus où j'étais...

32

Il y a maintenant presque deux semaines que j'ai démarré à l'agence Adélie et personne ne m'a jamais reparlé de cet épisode peu glorieux. Je me suis mise à bosser comme une folle pour effacer cette première mauvaise impression. Je n'ai pas eu beaucoup de temps pour moi. Je vais bientôt recevoir mon premier chèque, j'ai des responsabilités, des petites mains à qui je délègue tout ce que je n'ai pas envie de faire moi-même, des tickets-restaurant, une bonne mutuelle qui rembourse bien les dents, le même fauteuil qui, j'ai découvert ça hier, monte et redescend quand j'appuie sur une pédale, un ordinateur fixe et portable, des crayons autant que j'en veux et une clé pour fermer la porte de mon bureau si je ne souhaite pas être importunée. Je n'ai pas encore eu le temps de vraiment copiner avec qui que ce soit, à part Martin et Cyrus dont je vous reparlerai plus tard, mais depuis que je ne dors plus au deuxième sous-sol de l'immeuble, je suis rarement seule au déjeuner. J'ai toujours quelques bonnes âmes qui me proposent de me joindre à elles. Surtout des âmes d'hommes. C'est bon signe. Ça prouve que les gens m'apprécient et ont envie de faire ma connaissance. Ce n'est pas le cas de tout le monde et, si elles le pouvaient, les femmes célibataires me jetteraient des mauvais sorts chaque matin dans l'espoir que je ne remette jamais les pieds dans la société. Je vous avoue que je ne fais pas des tonnes d'efforts pour aller vers elles mais je considère, puisqu'elles sont en position de force, étant supérieures en nombre et se connaissant toutes depuis longtemps, que c'est à elles de m'accueillir dans leur groupe et pas à moi de m'imposer.

Les « filles », mes copines, sont convaincues que les femmes sont jalouses de moi car je suis une rivale évidente que les hommes de la maison convoitent. Elles n'ont pas tort de se méfier, je leur ai déjà enlevé deux fois le pain de la bouche. Il est vrai que je suis encore bronzée, merci les UV, et que je me trouve assez belle et en forme en ce moment. Avant de partir, j'avais déjà presque trois kilos en moins. En rentrant, je suis légère de quelque quatre kilos cent cinquante supplémentaires. Je suis devenue mince et c'est une sensation exquise. Vive la Martinique ! Je me connais, cet état de béatitude physique ne dure jamais bien longtemps, il faut donc que j'en profite.

J'ai pris le temps d'observer tous ceux et celles qui sont au même étage que moi. Nous sommes une petite quarantaine à cohabiter au deuxième. Le reste étant réparti entre le troisième et le quatrième étage. Un geste de la main un peu trop tendre pour être purement professionnel, un regard langoureux surpris entre deux portes, un baiser volé dans un couloir que l'on croyait désert, un sourire échangé lourd de promesses. Je suis assez douée pour repérer les fornicateurs. Je ne vais pas tous vous les énoncer mais François, marié et père de trois enfants, couche avec Anne-Charlotte, une des comptables, qui n'est et ne sera jamais que la maîtresse. Elle s'en fout, elle est mariée aussi. Hortense, une des assistantes du directeur des achats, couche avec Thierry, l'un des commerciaux et le *playboy* de service. Ce qu'elle ne sait pas, c'est qu'il couche également avec Amélie, Laurence et Dorothée. Tout ça, je le tiens de Sylvie qui connaît bien le phénomène Thierry pour être passée, elle aussi, dans ses filets. Jusqu'à preuve du contraire, Sylvie est la seule célibataire à m'adresser la parole. Je suis nouvelle et comme toute nouveauté, je suis une curiosité. LA curiosité. Les femmes me jalousent et les hommes me courtisent. Pour une fois que ça m'arrive.

« Tu es rentrée comment, à l'agence ? Tu connaissais quelqu'un ? »

« Tu as fait quoi avant ? Pourquoi tu es bronzée ? »

« Tu es mariée ? Fiancée ? Tu as des enfants ? »

« Célibataire ? Ah ? Et pourquoi ? Depuis quand ? »

« Et Cyrus, tu l'avais déjà rencontré avant ton arrivée ici ? »

« Tu es payée combien ? »

« Tu vas faire quoi, exactement ? Directrice de clientèle ? Mais c'est le job de Leina, ça. »

Nadège est la plus virulente. Pas étonnant, elle est repoussante de laideur. Elle a des crevasses d'acné et des furoncles gonflés à bloc tout autour de la bouche. Elle s'habille comme une vieille retraitée fauchée avec des robes à fleurs horribles, dans des matières on ne peut plus ringardes. Elle m'a prise en grippe tout de suite, mais je m'en tamponne le coquillard, elle est trop moche pour que j'aie envie d'être vue avec elle.

Certains mâles me tournent autour, c'est vrai et c'est plutôt agréable. Martin et Cyrus sont particulièrement assidus. C'est un peu normal, j'ai couché avec les deux. Je crois que ma récente déception amoureuse a fait de moi une fille facile. J'ai besoin d'être regonflée à bloc, de sentir que je plais aux autres hommes pour me sentir assez forte, belle et bien dans ma peau pour reconquérir Edgar. Mais en ce moment, il suffit de me brosser dans le sens du poil, d'être admiratif quand je m'exprime et de me sortir deux trois banalités sur mon physique et ma personnalité pour obtenir mes faveurs. Après quelques jours d'approche et de plaisanteries de plus en plus équivoques, je me suis laissé faire dans le parking de la société avec Cyrus. Debout contre un poteau en béton armé. Il n'a pas fallu beaucoup plus longtemps à Martin pour que je le ramène chez moi. Martin est créatif senior depuis sept ans chez Adélie et il a énormément de talent. C'est un homme de trente-neuf ans à la peau mate et aux yeux noisette, gentil comme un agneau. Trop gentil même. Presque servile à force de vouloir être serviable. Il fait tout ce que je veux, quand je veux, sans jamais broncher ni donner son avis et n'a qu'un but, me faire plaisir. Il est trop faible, trop fragile, trop dépendant. Il est en train de tomber amoureux et n'a jamais rencontré une femme comme moi, aussi généreuse, belle, attentionnée et sexy. Ça, c'est ce qu'il me raconte. Eh bé didonc... Physiquement, Martin est très beau, très bien fait. Il a la peau très douce comme celle des bébés et il sent bon. J'aime ses mains très carrées, larges et massives. J'aime ses bras musclés et protecteurs. Ses fesses bien dures et le creux de ses reins me rendent dingue. J'aime son corps, pas son esprit. Quant à son français, je n'en parle même pas.

« C'est le pull à mon frère. Ceusses qui croivent que. Faut que je voille. Tu manges où c'midi, face le tabac ? Où cé ti k'tas mis mes clefs ? Cé ki ki l'a fait ? Cé kan kon y va ? »

Seigneur, Jésus, Marie, Joseph, c'est pas Dieu possible. Heureusement, le plus clair de son temps, il le passe seul, à réfléchir dans son bureau sans côtoyer les clients. « Pour vivre heureux, vivons cachés. » C'est exactement ce que je fais. Quand je retrouve Martin, c'est à la maison et tard le soir. Je ne vais jamais chez lui et j'évite de sortir de chez moi quand il est là. Pas de restaurant, pas de promenade, pas de cinéma, pas de vie sociale de couple. C'est mieux pour tout le monde. Avec Martin, il n'y a pas de sentiments. Il n'y en aura jamais. Cyrus, lui, est un des plus anciens commerciaux de la société. Il aime son métier et a un vrai sens des affaires. Charmeur, séducteur, il est l'homme des situations difficiles. Quand un client hésite à confier un budget à l'agence, c'est Cyrus qu'on envoie pour faire fondre le sieur récalcitrant. Blond bouclé aux yeux marron clair, presque dorés, visage toujours un peu pâle, mince, du haut de ses un mètre quatre-vingt-quinze, il rassure et il assure. Un soir, il m'a suivie dans le parking et m'a tout bonnement sauté dessus en m'avouant qu'il en avait envie depuis le premier jour. Je découvre avec lui le pouvoir de la parole et l'excitation qu'elle procure quand il me murmure à l'oreille, avec une voix saccadée et vibrante de désir, des phrases qui respirent le cul. Quand il me prend sauvagement contre ce pylône, je n'ai plus aucune retenue et, à mon tour, je me surprends à l'exciter davantage en lui racontant ce que j'ai envie de lui faire ou ce que je ressens quand il me fait ça ou ça. Dès que nous en avons l'occasion, c'est-à-dire tous les jours, nous allons recharger nos batteries au sous-sol. Martin ne sait pas pour

Cyrus et Cyrus ne sait pas pour Martin. Je tiens à garder mes relations secrètes. D'ici à ce que je devienne la Marie-couche-toi-là de l'étage, il n'y a qu'un pas que je me verrais bien franchir...

33

Vendredi 16 au soir, je suis retournée sur la péniche avec Alizée, Lætitia, Julie et Arthur. Marine avait un dîner et ne savait pas encore si elle voulait bouger après ou pas. Cette fois, pour ma première vraie sortie depuis ma cuite mémorable, j'avais décidé d'y aller mollo avec les tickets d'*open bar* et de ne carburer qu'à l'eau plate. J'ai tenu cinq minutes. Nous avons lâchement abandonné Lætitia, Julie et Arthur à leur conversation pour faire, Alizée et moi, un petit tour de repérage sur le bateau et prendre la température. Concrètement, il s'agissait de voir si nous pouvions trouver quelque chose d'humain à nous mettre sous la dent. Depuis sa rupture avec Gilbert, Alizée n'avait pas eu une seule aventure. Elle n'en cherchait pas particulièrement mais elle aimait bien m'accompagner dans mes phases de repérage qu'elle trouvait divertissantes même si elles n'aboutissaient quasiment jamais. Un petit tour sur le toit pour admirer Paris la nuit, un petit tour près du bar pour refaire le plein de vodka tonic, la troisième pour moi, et trinquer à notre bonne et longue santé.

« Dans les yeux, Alizée ! Il faut se regarder dans les yeux quand on trinque, sinon c'est sept ans de mauvais sexe. Recommence, vite !

— C'est pas de mauvais sexe. C'est sans sexe, ce qui est bien pire.

— Ah non, pas d'accord. Mauvais, c'est pire que sans, fais-moi confiance ! Et tu sais que... Je n'y crois pas... Regarde, vite !

— Où ?

— Regarde là-bas, à droite. Tu vois le mec derrière la fille brune en rouge et noir ?

— Le grand blond en costume ?

— Non, pivote légèrement sur la gauche et derrière la fille avec les cheveux longs, il y a un mec frisé avec des cheveux courts.

— Le grand brun en tee-shirt blanc ?

— Oui.

— Il est plutôt mignon. Tu sais qui c'est ?

— C'est mon "poisson" du 1er avril, celui avec qui je suis rentrée complètement bourrée. Il s'appelle Denis.

— Pourquoi tu n'irais pas lui dire bonjour ?

— Il va vraiment me prendre pour une alcoolo ! Je suis rentrée bourrée avec lui et il me revoit toujours bourrée quinze jours après ! Et en plus, imagine qu'il ne me reconnaisse pas, j'aurais l'air de quoi, moi ? Non, non, je n'y vais pas.

— Ne sois pas bête. Il ne peut pas t'avoir oubliée en à peine deux semaines. Allez, on y va, je t'accompagne. »

Nous nous sommes alors frayé un passage jusqu'à Denis la Malice et à deux reprises, avant d'arriver à sa hauteur, j'ai intercepté son regard. Deux fois, j'ai souri de toutes mes dents en agitant d'abord la main, puis les deux bras pour lui faire comprendre qu'il était bien celui à qui s'adressaient tous ces signes désordonnés. Apparemment, ça n'a pas suffi car deux fois il s'est retourné pour voir si quelqu'un derrière lui gesticulait ou s'intéressait à moi en retour.

« Je t'avais dit que ce n'était pas une bonne idée d'y aller ! Je suis sûre qu'il ne se souvient plus de moi.

— Mais si, mais si.

— Et je dis quoi quand j'arrive devant lui ?

— Rien. Tu lui dis : "Bonjour, ça va depuis la dernière fois ? C'est marrant de se revoir ici, à l'endroit où on s'est rencontrés." Je ne sais pas, brode.

— Je vais lui dire que mon corps est à prendre mais que mon cœur appartient à quelqu'un d'autre. Arrête, reste là. Je n'ai pas du tout envie d'aller lui parler.

— Il te regarde, c'est le moment. Je reste à côté de toi, promis. »

« Bonjour, jeune homme.

— Euh... Bonjour.

— Ça va ?
— Oui, très bien. Merci.
— Tu viens toutes les semaines ici ?
— Depuis que Matthieu et Henri font des fêtes là, oui, je viens assez régulièrement.
— Ah.
— Et toi ?
— Moi quoi ?
— Tu viens souvent ?
— Régulièrement oui, j'aime bien.
— C'est à moi que tu faisais des grands gestes, tout à l'heure ?
— Moi ? Non. Enfin, un peu.
— Pourquoi ?
— Pour te montrer que même si j'étais dans un état proche de l'Ohio, je me souviens de toi.
— Ah... Parce qu'on se connaît ?
— Oui, on peut dire ça comme ça.
— Et tu t'appelles comment ?
— Je te l'ai déjà dit. Mon prénom commence par un G. »
Alizée a choisi ce moment-là pour s'approcher et me chuchoter dans le creux de l'oreille qu'il valait peut-être mieux retrouver les filles près du bar car, en effet, j'avais raison, ce n'était peut-être pas une bonne idée d'être venues lui dire bonjour. Je suis quand même restée pour voir jusqu'où il était capable d'aller dans la négation de notre aventure. Alizée m'a assené le coup de grâce en m'annonçant qu'elle allait faire un tour car elle en avait marre de tenir la chandelle. La faute à qui ? J'ai eu beau la tirer par le pull, la pincer et lui broyer la main, elle m'a échappé, me laissant seule avec Denis.
« Géraldine ?
— Quoi, Géraldine ?
— Je cherche des prénoms qui commencent par un G... Écoute, même avec la meilleure volonté du monde, je ne sais pas qui tu es. Je suis désolé.
— Garance. Je m'appelle Garance.
— Je ne voudrais pas avoir l'air grossier et c'est assez embarrassant, mais je n'ai aucune mémoire visuelle et

sans vouloir être méchant, les filles que tu croises dans les boîtes...

— Que tu fasses semblant de ne pas savoir qui je suis, passe encore, mais que tu me prennes pour la pétasse de service qui lève des mecs en boîte, alors là tu dépasses les bornes.

— Ce n'est pas ce que j'ai voulu dire. Je voulais juste t'expliquer que ce n'était pas évident de se souvenir de toutes les filles que tu croises et...

— ... sauf que je ne suis pas une fille que tu as croisée. On s'est vus sur la péniche le soir du 1er avril, tu m'as ramenée chez toi, tu m'as culbutée sur la moquette et je suis partie, il était presque 7 heures du mat. Ça te revient maintenant ?

— Eh bien, je te confirme que tu te trompes de personne. Je n'étais...

— Salut, Garance, tu vas bien ? Très en beauté, dis-moi.

— Salut, Luc chéri. C'est gentil, merci.

— Mais tout le monde est là ! C'est sympa de vous voir. Tu n'avais pas dit que tu ne sortais plus depuis ta dernière cuite ?

— Je me mets à l'eau dans deux minutes.

— Salut, toi, tu vas bien ?

— Salut, Luc, Marine est avec toi ?

— Elle fait la queue au vestiaire, elle arrive. Elle va être aux anges de vous retrouver ! J'ai eu un mal fou à la traîner jusqu'ici.

— Vous vous connaissez, tous les deux ?

— Bien sûr, on bosse ensemble ! Ça fait quoi ? quatre, cinq ans ?

— Cinq en juin. Mon point de repère, c'est mon arrivée à Paris. J'ai débarqué en mai et j'ai trouvé ce boulot un mois plus tard.

— Vous vous connaissez... Je n'en reviens pas.

— Pourquoi ?

— Parce que ça fait une heure que ton ami fait mine de ne pas savoir qui je suis. Je suis contente que tu sois là car tu vas expliquer à Denis que je n'ai pas pour habitude d'aborder des...

— Denis ?

— Qu'est-ce qu'il y a de drôle ?

— Donc, vous n'avez pas encore fait connaissance. Garance, je te présente Fabio Mennechi. Fabio, Garance Kléberg, une des meilleures amies de Marine.

— Fabio ? Tu t'appelles pas Denis ?

— Non, et je n'étais pas à Paris il y a quinze jours. Mais je suis ravi de faire ta connaissance. »

Il y a des jours, comme ça, où j'aimerais être totalement invisible.

34

Arthur a été ravi que l'esthéticienne Caroline se soit bien occupée de moi et d'après lui, elle m'adore. Elle peut. Je n'ai pas osé lui avouer que je m'étais fait refiler la moitié du magasin en partant et que cinq jours plus tard, mon banquier s'était fendu d'un courrier pour m'avertir que j'avais un petit découvert. Découvert pour lequel, de toute façon, il me débiterait des agios exorbitants en espérant que j'allais trouver rapidement une solution. J'en aurai une dès que j'aurai encaissé mon premier chèque de salaire fin avril. Les plaies d'argent n'ont jamais été mortelles. C'est encore une des phrases fétiches de ma mère qui n'a jamais eu à souffrir d'une quelconque plaie financière. Quand j'entends ça, je suis toujours aussi outrée et l'habitude n'y change rien. Je lui rétorque souvent que je trouve toujours très amusant d'écouter les gens blindés affirmer en vous regardant droit dans les yeux que l'argent ne fait pas le bonheur. Facile à dire quand on dort sur un matelas bourré de dollars et que l'unique problème de sa vie est de savoir si on achète d'abord le vison, les vacances dans un hôtel six étoiles au bout du monde ou la dernière voiture à la mode que les *happy few* se doivent d'avoir. Ou les trois.

Demain soir, j'ai décidé d'assister à mon premier cours de *step*. C'était ça ou m'inscrire aux Alcooliques anonymes. J'ai choisi le *step*. J'ai rendez-vous au club de gym à 19 h 30 précises. Je n'en ai jamais fait mais un prof que j'ai croisé la dernière fois que je suis allée faire de la musculation, il y a trois siècles, m'a dit que c'était très bien pour ce que j'avais. Je n'ai pas bien compris ce que j'avais, mais c'est lui le professionnel, alors je me fie à son jugement. Et comme mon « nouveau moi » a décidé d'aller faire du sport au moins trois fois par semaine, il a pensé qu'il était intelligent d'investir dans une tenue de la mort. J'y suis allée le cœur léger comme les Sept Nains quand ils rentrent du boulot, persuadée qu'il n'y avait rien de plus simple que de trouver un jogging, une veste assortie et des chaussures de sport pas trop ploucs, le tout pour moins de mille euros. Le vendeur qui a eu le malheur de passer dans l'allée dans laquelle je somatisais devant des rayons pleins à craquer et qui a souri lorsqu'il a croisé mon regard est aujourd'hui en cure de sommeil.

« Excusez-moi, monsieur, je cherche un ensemble pantalon, veste et chaussures de tennis.

— Vous allez au rayon tennis, vous voyez... là où sont les raquettes.

— Ah oui, mais non, je ne veux pas jouer au tennis. Je veux faire du sport.

— Vous faites quoi comme sport ?

— Rien, pour l'instant. Mais je vais faire des cours, des appareils, des choses comme ça, quoi.

— Vous ferez que de la salle, c'est sûr ? Pour les chaussures, c'est important.

— Pas forcément, non. Je préférerais avoir des chaussures qui fassent dehors et dedans en même temps, si possible.

— Ce que je veux dire, c'est que si vous faites de l'aérobic ou du *step*, il vous faut des chaussures qui amortissent les chocs. Si vous faites du *stretching* ou des abdos fessiers, il vous faut autre chose.

— Écoutez, je voudrais juste une paire de chaussures toutes simples, basiques et qui fassent pas provinciale.

— Celles-ci sont les plus basiques que l'on ait. Elles sont à vingt-cinq euros et n'existent qu'en noir et turquoise.

— Elles sont pas chères mais elles sont vraiment moches. Quoi d'autre ?

— Vous voulez mettre combien ?

— Je sais pas. Faites voir ce que vous avez, je déciderai après. Celles à soixante et des poussières, elles sont bien ?

— Oui, si vous faites du tennis.

— Bon... Et à côté, à soixante-dix euros ?

— Chaussures de marche.

— Et les blanches, là, au deuxième niveau ? Elles sont bien celles-là, non ?

— Oui. Si vous faites du foot.

— Je n'avais pas vu les crampons. Vous n'avez pas les mêmes pour le sport en salle ?

— Non.

— D'accord... On ne va pas y passer l'année, je vais essayer les blanches à lacets en 37, à droite des rouges.

— Aérobic seulement.

— Eh ben, c'est parfait. Je ne ferai rien d'autre. Je vous le jure. »

Le temps que je m'assoie, que je me baisse pour les enfiler et que je me relève pour m'admirer dans le miroir, le vendeur avait disparu. Je le soupçonne de s'être caché dans le débarras. Ma paire de baskets « spécial aérobic qui s'autodétruira si je mets un orteil dehors » aux pieds, il ne me restait qu'à trouver de quoi couvrir tout le reste. Après des plombes passées devant chaque rayon à comparer marques, formes et matières, j'ai jeté mon dévolu sur plusieurs ensembles que je me suis empressée de passer. Rien n'allait. En désespoir de cause, car le magasin fermait, j'ai pris l'ensemble le plus cher en pensant encore une fois à ma mère qui a fait sienne la maxime : « Plus c'est cher, mieux c'est. » Il s'agit d'une veste à capuche et à fermeture Éclair et d'un pantalon droit de la même couleur qui ne me va pas trop mal et qui a le mérite d'être parfaitement assorti avec mes nouvelles chaussures. Tout est blanc immaculé. C'est assez salissant, c'est vrai, mais je ne suis pas du genre à me rouler par terre et comme je n'irai jamais faire de sport dehors avec, le vendeur me l'ayant formellement interdit, l'affaire est dans le sac. Oui, dans le sac que j'ai également acheté pour parfaire ma panoplie de la sportive accomplie.

Il est 7 h 30 et une quinzaine de personnes attend le professeur de *step*. J'ai mes nouveaux habits et un bandeau dans les cheveux pour que la sueur ne me tombe pas dans les yeux si jamais l'effort me fait transpirer. Débarque alors la version française de G.I. Jane que j'ai surnommée Ji Aïe Gène. Crâne rasé, muscles saillants, ventre en tablettes de chocolat, short court et tee-shirt sans manche, *piercing* dans le nez et le sourcil et, je crois, sur la langue. Je suis subjuguée. Je peux vous dire que je n'en mène pas large et que je m'attends à être corrigée au couteau si elle s'aperçoit que le mouvement qu'elle m'ordonne de copier n'est pas reproduit à la perfection. Musique à fond, Jasmine, c'est son vrai nom, nous braille dans les oreilles et donne ses ordres dans un micro dont l'attache tient sur sa tête par l'opération du Saint-Esprit. J'ai tellement peur de me faire amputer d'une jambe devant tout le monde si je fais un faux pas que je suis ultraconcentrée et totalement crispée. En vingt minutes, j'ai dû, sans mentir, monter et descendre de la marche en plastique qui se trouve devant moi un bon millier de fois. Je suis à ramasser à la petite cuillère. Je suinte. Le bandeau me tombe sur les yeux à chaque mouvement en aplatissant ma mèche que je suis obligée de remettre en place si je veux suivre le cours de Musclor. Même si je fuis le regard de Jasmine, pour éviter d'être transformée en statue de sel, je sais qu'elle ne va pas me rater si elle me chope. J'abandonne le bandeau là où il se sent le mieux, c'est-à-dire à cheval sur mon nez et sur mon œil, et je me concentre sur mes exercices en penchant la tête en arrière pour essayer de voir par-dessus le misérable morceau de tissu éponge.

« Vous voulez un coup de main pour la coiffure ? Je vous fais la même que la mienne, vous aurez plus de problème avec votre mèche. »

Ce n'était pas une question. Je n'ai donc pas répondu. J'en ai ras la casquette et je suis lessivée. J'imagine que ça doit se voir car mes deux voisines, tout aussi pétochardes que moi, ont des airs compatissants du genre : « On sait ce que c'est, on est déjà passées par là. Courage ! »

Ji Aïe Gène hurle comme une dératée pour maintenir le rythme. Bien évidemment, elle ne le fait pas pour nous engueuler – quoique – mais pour faire porter sa voix aussi loin que possible. C'est quand même impressionnant pour moi qui ai déjà du mal à m'habituer à suivre les ordres d'une femme chauve qui vient de me proposer de me scalper.

« Allez, on se détend ! On est là pour s'amuser ! Et un... et deux... et trois... On descend de la marche et on pivote à droite toujours en suivant la musique. J'ai dit à droite, pour la demoiselle du fond tout en blanc ! »

Oups...

« On reprend, un pas au milieu, on se déplace côté droit et hop, on saute côté gauche. On descend, on fait un tour complet, on pose le pied gauche et on écoute toujours la musique, s'il vous plaît. Et les bras ? Vous n'êtes pas paralysée des bras ou je me trompe ? Ils bougent aussi, les bras ? Vous voulez que je vienne vous montrer ? »

Elle m'en veut. Oh non... elle est descendue de son podium. Si Jasmine s'approche de moi, je vous jure, je fais pipi dans ma culotte...

35

J'ai reçu un coup de fil de Luc aujourd'hui. Bien que nous soyons très complices et vraiment amis, c'est assez rare qu'il me téléphone sans que Marine soit dans les parages, et elle n'y était pas. Fabio était l'objet de son appel. Il semblerait qu'après notre rencontre totalement foireuse, il ait posé pas mal de questions me concernant. Qui j'étais, où j'habitais, si j'avais un homme dans ma vie, si je sortais beaucoup, si ça m'arrivait souvent de ne pas reconnaître mes amants, etc. Il a fini par demander mon numéro à Luc qui a d'abord consulté Marine avant de me poser la question directement.

« Écoute, franchement, il ne m'intéresse pas. Il n'est pas du tout mon genre. En plus, je n'aime pas les hommes qui ont une fossette sur le menton. Comme ça au moins, c'est clair. Je suis désolée, Luc, il est sûrement très gentil, ton copain, mais tu lui dis que je ne suis pas disponible, que je suis avec Edgar.

— Je lui ai déjà dit que tu étais célibataire.

— Tu lui dis que tu t'es trompé.

— Je te rappelle à tout hasard que tu l'as abordé croyant que c'était le mec que tu t'étais tapé dix ou quinze jours avant ! Alors le côté fidèle amoureuse, à mon avis...

— Alors, je sais ce que tu vas faire. Donne-moi son numéro. Vas-y, je t'écoute.

— 06 22 66....

— Et tu lui dis que c'est moi qui l'appellerai. Ça te va ?

— Tu le feras ?

— Bien sûr que non, mais au moins on aura la paix. »

Ne voulant pas mettre Luc dans l'embarras et encore moins lui mentir, j'ai réellement enregistré le numéro de

Fabio dans mon répertoire de portable, sachant pertinemment que jamais je ne le composerais.

Toujours pas de nouvelles de Cebu depuis maintenant presque deux mois et demi. J'ai soudoyé Sylvie, ma nouvelle récente copine de travail, pour qu'elle téléphone au bureau d'Edgar, comme si de rien n'était.

« Bonjour, je voudrais parler à Edgar Colin, s'il vous plaît.

— Je suis désolée, il est absent. Puis-je lui transmettre un message ?

— Savez-vous vers quelle heure je peux le joindre ?

— Il est en déplacement à l'étranger jusqu'au 4 mai. Attendez, je vérifie... Oui, c'est ça, il sera au bureau mardi prochain.

— Il ne devait pas rentrer plus tôt ?

– M. Colin est en effet rentré le 7 mais ce n'était pas prévu. Il a dû repartir. Et vous êtes madame... ? »

J'ai arraché le téléphone des mains de Sylvie pour prendre la parole directement.

« Il est resté longtemps à Paris ?

— Vous êtes madame... ?

— Il est resté combien de temps ?

— Je peux avoir votre nom, s'il vous plaît ?

— Justement, ça ne me plaît pas ! Alors, tu réponds, oui ou merde ?

— Merde. »

On voit bien qu'elle travaille avec Edgar. Edgar est rentré à Paris et n'a même pas daigné m'appeler ! Je pense que s'il avait voulu recoller les morceaux, il aurait trouvé le temps, entre la date de son retour et celle de son nouveau départ pour passer au moins un petit coup de fil. Rien. Même pas un e-mail. D'un autre côté, peut-être qu'il est rentré précipitamment parce que son visa n'était plus valable. Peut-être qu'il voulait me téléphoner mais qu'il a été pris par le temps. Peut-être qu'il est allé directement dans le Lot enterrer sa mère-grand, qui sait ? Peut-être que je suis en train de lui trouver des excuses pour ne pas avoir à admettre que lui et moi, c'est bel et bien fini. Arthur a une sensibilité de fille et il est souvent judicieux dans ses conseils. Je suis trop énervée pour garder ça pour moi et pas encore assez copine avec Sylvie pour lui raconter ma vie et ses déboires.

« Arthur ? C'est re-moi. Tu devineras jamais ce que je viens d'apprendre.

— Qu'est-ce qui se passe ?

— Tu vas halluciner !

— Tu es enceinte ? L'agence Adélie dépose le bilan ? Ta mère est passée à l'héro ?

— Pire. Edgar est à Paris depuis le 7 !

— Comment tu l'as appris ?

— En fait, il est rentré le 7 et il est reparti le lendemain ou le surlendemain, je ne sais pas. Tu ne crois pas quand même qu'il aurait pu se manifester avant de se rebarrer ?

— Je te demande comment tu l'as su ?

— C'est la fille de son bureau qui nous a dit qu'il serait là le 4 mai. Pourquoi tu veux savoir ? »

Arthur voulait savoir parce qu'il m'a appris qu'Anne-Catherine, la sœur de Fanfan, son nouvel amant, avait une amie, Casey, qui connaissait Aglaé et avait cru la voir dans une boutique de la rue Saint-Honoré il y a huit ou dix jours. Ce qui confirmerait ce que la standardiste nous a raconté : même s'il est reparti, Edgar est bien rentré. Et s'il est reparti, c'est sans son acolyte. Arthur n'avait pas voulu m'en parler pour que je ne commence pas à me mettre martel en tête si toutefois la copine d'Anne-Catherine avait mal vu. J'avais beaucoup de travail et beaucoup d'autres choses sur lesquelles je devais me concentrer, je n'ai donc pas pu laisser libre cours à mon profond chagrin. J'étais pourtant anéantie. Le soir même, j'ai appelé Martin à la rescousse pour pleurer sur une épaule amie. Après son départ, j'ai sauté sur le téléphone pour vérifier, en pleine nuit, qu'Aglaé était à Paris. C'est bien elle qui a décroché, totalement à l'Ouest. Un mouchoir sur le combiné pour masquer ma voix, je lui ai balancé trois grossièretés, comme quand j'avais douze ans et que je faisais des blagues au téléphone, avant de lui claquer le beignet en raccrochant. C'est totalement puéril, mais ça fait du bien.

Je suis malheureuse. Si vous saviez comme Edgar me manque ! J'ai joué à la femme forte qui assume et qui mène une vie trépidante de sorties, de coucheries et de beuveries, mais je n'ai cherché qu'à combler un vide immense. Je me suis mise au sport, au régime, je suis belle et bronzée, je me démaquille tous les soirs comme Caroline me l'a appris, je mets de la crème tous les jours, j'ai changé mes habitudes, j'ai rencontré des gens, etc. Tout ça, je l'ai fait de bon cœur. Pour moi. Et pour Edgar. Il n'y a pas eu un seul jour depuis plus de deux mois où je n'ai pensé à lui, où je n'ai imaginé sa vie là-bas, où je n'ai rêvé de ses baisers, de ses caresses et de nos retrouvailles. À tour de rôle, Martin et Cyrus ont réchauffé mon grand lit glacial et m'ont fait oublier la douceur et la chaleur des bras d'Edgar. Ils s'occupent de moi, chacun à sa manière, en me donnant l'amour ou la tendresse dont je manque depuis le break. Je n'ai pas menti, tous deux savent que j'attends Edgar et qu'il m'est impossible de m'impliquer sentimentalement tant que je ne serai pas fixée. L'histoire convient parfaitement à Cyrus qui se satisfait de quelques nuits de sexe par-ci, par-là, entre le parking et mon plumard et qui, j'en suis certaine, a une vie bien remplie à tous niveaux. Martin, lui, est mordu. Et il ne s'en cache pas...

« C'est quand je t'ai vue la première fois que je suis tombé amoureux. J'y peux rien. Et tu sais qu'est-ce qui me ferait beaucoup plaisir ?

— Non.

— J'aimerais me réveiller un matin avec toi au lieu que je m'en aille en pleine nuit. »

Penser à lui offrir le Bescherelle, le Bled et tous les manuels de français utilisés du CP à la sixième.

Martin a raison, il n'a jamais dormi une nuit entière à la maison. Il fait partie, comme Cyrus, de ceux à qui je ne poserai pas ma question sacrée du matin : « Thé ou café ? »

« Garance, vraiment, j'aimerais passer une vraie nuit avec toi.

— Je comprends bien mais alors... comment te le dire sans te blesser... Ça, tu vois, ça ne va pas être possible.

— Pourquoi ? Je veux juste savoir pourquoi que tu veux pas.

— Pourquoi... Parce que... Parce que ce n'est pas possible.
— Dis-moi-le, pourquoi.
— Parce que... Déjà, parce qu'on ne dit pas "dis-moi-le" mais "dis-le-moi" et ensuite... parce que... parce que j'aime bien prendre mes petits déjeuners tranquille, et seule, et pas au lit, et pas avec quelqu'un à côté qui va faire des miettes partout.
— Mais moi, je suis pas quelqu'un. Je suis plus que ça, non ?
— Moui...
— Ça compte pas pour toi, les moments où que je viens chez toi ?
— Si, si, si.
— Alors ?
— Alors, c'est non. »
Il est gentil mais un peu bouché.

36

Marine attend un enfant ! Si vous saviez comme je suis heureuse ! Elle est enceinte de presque trois mois. Elle a eu du courage, je n'aurais jamais pu garder un secret pareil si longtemps. Ça fait tellement d'années qu'elle essaie et que les traitements, les analyses et les médicaments ne donnent rien que cette fois, elle a décidé de passer par un chemin de traverse que la médecine traditionnelle condamnerait à grands cris si elle en avait eu vent. Depuis six mois, Marine se rend à chaque début de cycle chez un marabout du fin fond du XXe arrondissement, qui lui fait boire des potions curieuses, qui la masse, qui travaille avec un pendule au-dessus de son ventre et qui lit dans des volutes de fumée ce qu'il y a, apparemment, à lire pour qu'elle tombe enceinte. Le soir même, et tous les soirs suivants, Luc devait avaler une décoction très amère et faire l'amour à une heure précise dans une position particulière. Aussi incroyable que cela puisse paraître, ça a marché. Marine a fait tous les tests. C'est bon. Même sa gynécologue, celle qui nous suit toutes les cinq depuis la puberté, n'en revenait pas.

« C'est presque un miracle après tant d'années ! Ne vous inquiétez pas, l'œuf est bien accroché. Cet enfant-là, il naîtra en novembre. Ce sera un beau bébé Scorpion ou un Sagittaire ! »

Alizée, Lætitia, Julie et moi sommes toutes les quatre marraines. Marine n'a pas voulu trancher et ne choisir qu'une seule personne parmi celles qu'elle aime le plus au monde. On a trouvé que c'était une idée fabuleuse et nous avons décidé de la copier dès que nous serions, nous aussi, mamans. Restera à convaincre le prêtre, le jour du baptême, du bien-fondé de notre démarche. Mais chaque chose en son temps.

Je suis allée dîner avec les filles, Luc et Arthur pour fêter l'événement et nous sommes tombés sur Aglaé, attablée dans le même restaurant que nous avec un type laid comme un pou. Nous étions déjà assis quand elle est venue nous saluer, plus pour le principe qu'autre chose d'ailleurs. Après avoir fait son petit numéro de relations publiques et un tour de table, elle s'est plantée en face de moi...

« Alors, comment ça va ? J'ai appris par le qu'en-dira-t'on que tu avais un boulot. Ça doit te faire du bien de te remettre dans le bain, non ?

— Qui te l'a dit ?

— Cyril. Il m'a dit qu'il t'avait rencontrée sur la péniche. Tu as l'air d'aller mieux, en tout cas. Ça fait plaisir à voir. Et tu as maigri, non ?

— Oui.

— C'est vrai que tu t'étais un peu laissée aller vers la fin. Tu as perdu combien ? Trois, quatre ?

— Vers la fin de quoi ?

— Et ton boulot, ça te plaît ?

— Tout va très bien, merci.

— En tout cas, moi, je suis crevée ! J'ai eu un mal fou à me remettre du décalage horaire mais c'était démentiel ce voyage. Depuis le 7, je ne touche pas terre. Je n'arrête pas de bosser comme une folle et je n'ai pas une minute à moi. Ah, au fait... Tu as appris ?

— Quoi ?

— Tu sais que la grand-mère d'Edgar est morte ?

— Camille ? »

Oups, oups et re-oups... Je me rappelle vous avoir dit : « Peut-être qu'il est allé directement dans le Lot enterrer sa mère-grand, qui sait ? » J'espère qu'il n'y a pas de relation de cause à effet et que je ne suis pas dotée d'un pouvoir tel qu'il me suffit, en déconnant, de penser à la mort des gens pour qu'elle les emporte.

« Oui, c'est pour ça qu'il est rentré en même temps que moi.

— Elle est morte comment ?

— Dans son sommeil. Tu la connaissais ?

— Non.

— Ah oui, c'est vrai ! Tu n'es jamais allée dans leur maison.

— Je n'ai pas les mêmes privilèges que toi, tu devrais le savoir à la longue.

— Tu ne peux pas imaginer comme ça m'a fait de la peine de voir Edgar comme ça.

— Si, si, ne t'inquiète pas, je peux.

— Il a fait l'aller-retour pour l'enterrement. Je pensais qu'il t'avait appelée pour te le dire.

— Eh bien, tu t'es trompée.

— Je comprends mieux maintenant pourquoi sa mère était énervée contre toi parce que tu n'avais pas téléphoné pour les condoléances. Je crois qu'elle ne sait pas que c'est fini entre vous.

— On fait un break, c'est tout. On commande ou pas ? Vous avez choisi les filles ?

— Remarque, il n'a pas eu beaucoup de temps pour t'appeler, il est resté deux jours et il est reparti tout de suite.

— C'est gentil d'être passée mais là, on va dîner. Merci pour les nouvelles et à...

— En tout cas, pour Cebu, il est supercontent du résultat. Tu sais qu'on va peut-être lui confier toute la zone Asie ?

— Non, et tu le sais très bien. On prend du vin ou on reste au champagne ?

— Je ne voudrais pas faire de gaffe mais j'ai l'impression que tu n'es pas au courant.

— Au courant de quoi ?

— Qu'Edgar est à Paris.

— Il est rentré ? On n'est pas le 4 !

— Il a avancé son retour, c'était pas la peine qu'il prolonge son séjour finalement. Il est à Paris depuis cinq jours. Il devait t'appeler, alors je pensais que tu le savais.

— Je pense que tu devrais t'en aller maintenant. Ton ami t'attend. »

J'ai vraiment pris la nouvelle comme une gifle mais je ne voulais pas que l'autre me voie pleurer. J'ai retenu tant bien que mal mes sanglots, culpabilisant de mettre en l'air la soirée de Marine avec mes problèmes de cœur qui me semblaient soudainement insolubles. Nous étions encore à table quand Aglaé a quitté le restaurant. Avant de franchir la porte, elle s'est tournée vers moi avec un grand sourire et de loin, j'ai lu sur ses lèvres un « A bientôt » qui m'était adressé. Elle avait un regard triomphant. Le regard de celle qui vient d'assener le coup de grâce et qui jubile. En rentrant à la maison, j'ai bien évidemment appelé Edgar sur-le-champ. Pour vérifier. À 2 heures du matin, il n'était pas chez lui. J'ai pris ma plus belle voix d'hôtesse de l'air et j'ai laissé un premier message sur son répondeur.

« Edgar, c'est Garance. J'espère que tu vas bien. Je suis désolée pour ta grand-mère, mais je suis contente que tu sois rentré. J'ai vu Aglaé et j'aimerais en parler avec toi. J'ai beaucoup réfléchi et j'ai plein de choses à te dire. Je t'embrasse fort. Appelle-moi dès que tu rentres ce soir. À n'importe quelle heure. Je ne serai pas couchée. »

Le troisième message se faisait déjà moins langoureux.

« C'est toujours Garance, je vais finir par croire que tu ne veux pas me parler. Il est 3 heures, rappelle. »

Le neuvième message, à 8 heures du matin, était carrément désagréable.

« Putain, mais t'es où ? Tu fais chier. C'est le je-ne-sais-pas-combientième message que je te laisse. Je te préviens, tu as intérêt à prendre ton téléphone et à me rappeler sinon, tu vas sérieusement te faire souffler dans les bronches. »

37

Ça fait des jours que je laisse un, deux ou trois messages quotidiens chez lui, sans compter les huit mille fois où j'appelle en raccrochant quand j'entends que le répondeur se déclenche. J'ai même téléphoné au bureau hier, jour de la fête du Travail. Un samedi, en plus, faut vraiment être dérangée ! Il n'y avait évidemment pas âme qui vive mais j'ai malgré tout réessayé deux cents fois dans la journée, espérant que quelqu'un finirait par décrocher. Je deviens folle. Figurez-vous que je me suis même pointée à son bureau, il y a cinq jours. Je dois le reconnaître, j'étais un peu bourrée. Trop bourrée pour tenir normalement debout mais j'avais besoin d'alcool pour me donner du courage. Bourrée et déguisée. Oui, déguisée. Ne me demandez pas pourquoi. Avec une perruque de cheveux blonds, longs et bouclés. Une jupe à volants, les bas résille, les talons aiguilles et le vison que je portais le soir du Crillon, plus un sac à paillettes pour parfaire l'ensemble. C'est la nouvelle *aficionada* du « merde » qui était à l'accueil. Celle qui me raccroche au nez dès que je téléphone.

« Bonjour. Je peux vous aider ?

— J'ai rendez-vous avec M. Colin. Vous pouvez le prévenir que Roxane l'attend ? Je suis une amie de sa sœur. »

Je tenais debout par l'opération du Saint-Esprit, une main scotchée au bureau pour ne pas perdre un équilibre quasi inexistant, me concentrant sur la standardiste que je voyais en double exemplaire.

— C'est à quel sujet ?

— Si on vous demande, vous direz que vous savez pas. Alors, vous êtes gentille et vous l'appelez... MAINTENANT ! Je me suis bien fait comprendre ? »

Pendant que je remettais ma perruque en place, elle s'est essuyé, l'air dégoûté, la joue sur laquelle trônait un énorme postillon.

« M. Colin n'est pas à Paris actuellement. Il ne sera de retour que le...

— Mon petit doigt m'a dit qu'il était rentré. Alors, tu vas arrêter tes sornettes et tu vas vite composer son numéro et lui dire que je suis là. Sinon...

— Sinon ?

— Sinon, je reste plantée là jusqu'à minuit s'il le faut et je fais tous les bureaux jusqu'à ce que je trouve l'autre blaireau !

— Si vous ne quittez pas l'établissement immédiatement, je vais me voir dans l'obligation d'appeler la sécurité.

— Et moi, je vais te refaire le portrait à coups de sac à paillettes, salope ! »

Elle m'a dévisagée comme si elle s'attendait à ce que je lui saute au cou pour la mordre mais elle a tenu sa promesse. Les agents de la sécurité sont arrivés et c'est portée à deux mètres du sol que j'ai été éjectée de l'immeuble. Ma perruque dans une main et mon passeport dans l'autre, que j'ai dû montrer à la chipie et aux gardiens pour un banal contrôle d'identité.

« Mais je la connais, c'est la folle alcoolique qui me harcèle au téléphone cent fois par jour ! C'est l'ex d'un de nos responsables. Vu sa dégaine, je comprends pourquoi M. Colin l'a virée ! »

Un « T'as vu ta gueule à toi ? » a suffi pour que je me retrouve catapultée sur le trottoir. Avec interdiction formelle et définitive de remettre les pieds dans le quartier.

Mes messages sont de plus en plus virulents et je suis en train de me mettre tout le monde à dos. À l'agence, Sylvie commence à perdre patience et en a marre de dépenser son forfait de portable pour appeler Edgar sur le sien. Il ne décroche pas non plus alors qu'elle est en numéro masqué. Peut-être qu'il se méfie. Je ne crois pas que je m'y prenne très bien pour lui donner envie de me revoir ou de me parler, j'en conviens, mais c'est plus fort que moi. Je trouve son attitude tellement lâche et immature que je me sens capable de le harceler jusqu'à ce qu'il craque. En huit jours sans nouvelles, tout le travail que j'ai fait en plus de deux mois, toute l'énergie et la bonne humeur que j'ai accumulées, tout l'espoir que j'ai bâti sur son retour, tout s'est effondré à cause d'un coup de fil qui tarde à venir. Les filles me remontent le moral comme elles peuvent, même si elles n'expliquent pas le comportement d'Edgar. Marine est trop pure pour imaginer qu'Edgar me ferait sciemment du mal en me faisant poireauter par vice ou méchanceté. Lætitia pense qu'il n'est peut-être pas à Paris, tout simplement, et qu'il a oublié son téléphone portable chez lui. Le fait qu'il ne soit joignable nulle part reste un mystère mais il ne faut pas tirer de conclusions hâtives. Alizée pense que l'explication de Marine et de Lætitia est bidon et elle est bien placée pour savoir que quand un homme veut vraiment joindre une femme, il trouve toujours le moyen d'entrer en contact avec elle. Julie pense que nous aurons beau chercher des explications et proposer dix millions de solutions, il en restera toujours une à laquelle aucune de nous n'aura pensé et qui sera la bonne. En conclusion, Julie recommande la prudence et me dit que j'ai tort de m'emballer sans savoir.

« Je suis persuadée qu'il finira par se manifester et qu'il a une bonne excuse. Je ne peux pas imaginer une seule seconde qu'il fasse le mort pour éviter de te parler, même si c'est fini entre vous. Et pourtant, tu sais ce que je pense de lui.

— Je te rappelle qu'il m'a annoncé qu'il partait aux Philippines quand il était dans le Lot et pas face à face. Alors moi je veux bien qu'il ne soit pas dégonflé mais là, il a intérêt à se pointer avec une explication qui tienne la route. »

Cyrus pense que ce type est un lâche. C'est la seule raison, à ses yeux, qui fait qu'il n'appelle pas. Il attend que je me lasse toute seule de lui courir après. Il ne m'aime plus, donc il se fout éperdument de savoir ce que je ressens. Par respect pour ce que nous avons vécu, je veux qu'il m'annonce clairement que c'est fini. C'est la moindre des politesses. D'après Cyrus, l'attitude d'Edgar est un comportement masculin classique. Il a probablement rencontré quelqu'un d'autre mais ne me l'avouera jamais. Alors il se cache et fait l'autruche en attendant.

« En attendant quoi ?

— Que tu passes toi-même à autre chose. Fais-moi confiance, je suis comme lui. Incapable de rompre. Je disparais de la circulation et je ne donne plus signe de vie jusqu'à ce que la fille me laisse des messages insultants et me jette.

— C'est dégueulasse comme méthode.

— Mais efficace.

— Peut-être, mais c'est dégueulasse quand même.

— Garance, tu es une fille bien. Ne te prends pas la tête avec ce mec. Oublie-le, ou alors gère ta relation avec lui comme on gère la nôtre.

— Tu sais très bien que c'est impossible. Lui, je l'aime. Toi, je te désire, c'est tout. C'est très différent.

— Tu ne me feras pas croire que tu l'aimes. Tu t'en persuades, ça, oui. »

Tout est confus et à force de demander conseil, je suis incapable de me faire une opinion précise. Ce que je sais, c'est qu'Edgar ne dort pas chez lui. Soit il n'est pas à Paris, et c'est Lætitia qui a raison. Soit il a une nana, et Cyrus est devin. J'ai envoyé Léon en éclaireur espion. Il fait le guet en bas de son immeuble tous les soirs. Passé une certaine heure, assez tardive, Léon est démis de ses fonctions et quitte son poste. Quand il ne vient pas à la maison au rapport, il téléphone. Il ne m'a pas fallu longtemps avant de m'asseoir sur ma culpabilité et profiter du dévouement de ce pauvre Léon pour l'exploiter. J'ai essayé, pour son bien, de le faire sortir de ma vie mais il refuse. Après tout, il est assez grand pour savoir ce qui est bon pour lui. Je l'ai prévenu que jamais il ne se passera rien entre nous. Si lui pense qu'il a le pouvoir de me faire changer d'opinion, il en assume les conséquences. Aujourd'hui, il est prêt à me rendre tous les services du monde. Et si l'un d'eux contribue à me faire récupérer Edgar, il n'y voit pas d'inconvénient. Ce qu'il veut, c'est que je sois heureuse et je ne trouve rien à redire à cela. Léon est momentanément un précieux allié quand bien même, à vos yeux, il ne serait qu'une marionnette manipulée. Je sais qu'Edgar ne dort pas chez Aglaé non plus car Martin espionne, lui, en bas de chez elle. Ma mère m'a toujours dit de ne jamais mettre tous mes œufs dans le même panier et c'est exactement ce que j'ai fait. Je n'aurais jamais pu imaginer qu'un homme soit capable de se rabaisser ainsi pour satisfaire la femme qu'il aime. Deux hommes, encore moins. Je me suis découvert des talents de manipulatrice insoupçonnés et avoir le pouvoir n'est pas pour me déplaire. Je n'admire sûrement pas l'attitude de Martin et de Léon et elle me les rend encore bien plus faibles qu'avant mais la fin justifiant les moyens, ils sont devenus un peu malgré eux un moyen d'arriver à mes fins. Je préfère ne pas trop y penser plutôt que d'admettre que je suis monstrueuse. Ça soulage provisoirement ma conscience. Donc, j'ai placé un espion chez chacun. J'ai été bien inspirée, Aglaé est rentrée avant-hier soir avec un homme...

« Ce mec, c'est pas Edgar que je te dis. Je l'ai vu comme je te voye.

— Tu es sûr ? Sûr, hein ? Tu as bien regardé la photo que je t'ai donnée de lui ? Réfléchis bien, c'est important.

— Je suis pas débile quand je te dis quèque chose ! Qu'est-ce que j'ai vu, je l'ai bien vu. »

Mais oui, mais oui, je te croive...

Léon doit passer tout à l'heure. Il était très nerveux au téléphone et bégayait comme un dingue. Il a une nouvelle de la plus haute importance à m'annoncer et ça ne peut pas attendre de-de, de-de, demain.

38

Léon est arrivé en moins d'une demi-heure. Comme il était assez tendu et très anxieux, je lui ai proposé, pour le calmer, de lui faire un massage et de se rouler un pétard. Il se détendrait en fumant et me parlerait de ce qu'il avait découvert et qui le mettait dans un état pareil. J'avais donné les clés de l'appartement d'Edgar à Léon, le suppliant de profiter de son absence pour y pénétrer, mais il s'obstinait à refuser de jouer les *gentlemen* cambrioleurs.

« Va-va, vas-y tou-tou... toi-même !

— Tu sais très bien que c'est impossible. Imagine qu'il arrive à ce moment-là ? Je fais quoi ? Je lui dis quoi ? Si c'est toi, tu peux toujours dire que tu t'es trompé d'étage ou inventer un bobard.

— Je te-te... Je te l'ai déjà dit, j'irai pas...

— Comme tu voudras, tu as tout à fait le droit de refuser de me rendre service.

— Tu-tu ne peux p-p-pas dire ça !

— Laisse, c'est pas grave. Tant pis. »

Il se contentait de surveiller banalement les allées et venues de l'immeuble, caché derrière un arbre. Il a fallu que j'abuse de mon pouvoir de séduction et que je fasse un petit chantage pour qu'il se plie à ma volonté...

« Si tu y vas, je te promets qu'on passera une nuit de rêve ensemble.

— Une nuit avec tou-tou... toi ? »

Je l'avais convaincu. Il irait le lendemain. Hier soir, donc...

Le pétard faisant son petit effet, la langue de Léon s'est déliée et sa diction est devenue limpide comme de l'eau de roche. Plus il se libérait du poids qu'il avait sur le cœur, mieux il s'exprimait. Et plus moi je courbais le dos sous celui de ses paroles. C'est pourquoi j'ai décidé de mettre fin à mes jours ce matin. Léon était tellement terrorisé à l'idée de se faire surprendre chez Edgar qu'il tremblait de tous ses membres quand il est arrivé sur le pas de sa porte. Totalement stressé, mon abruti de service n'a rien trouvé de mieux à faire que de laisser tomber sa lampe de poche en faisant un boucan du diable. Pas une, ni deux, mais trois fois de suite ! Le voisin, malheureusement bien-entendant, a fini par entrebâiller sa porte pour lui demander qui il était et ce qu'il foutait là, je cite, « à pas d'heure » habillé tout en noir avec une cagoule et des moufles en laine. En le menaçant d'appeler les flics s'il ne déguerpissait pas tout de suite, il a crié pour ameuter le reste de l'immeuble. Léon n'a pas demandé son reste et a détalé comme un lapin. Dans le feu de l'action, ce con a laissé tomber le trousseau de clés dans la cage d'escalier et a pris la poudre d'escampette sans le récupérer.

« Mais ce n'est pas tout. Il y a autre chose... Tu vas m'en vouloir, c'est sûr.

— Mais non, penses-tu ! Qu'est-ce qui peut bien te faire croire une chose pareille ? »

Notre Père qui êtes aux cieux... Ne me soumettez pas à la tentation de le défenestrer avant qu'il ait terminé son histoire.

Quand Léon a descendu les marches comme une flèche, il n'a pas vu que quelqu'un montait très vite en sens inverse, sans doute alerté par les cris de putois du voisin qui continuait à brailler, penché au-dessus de la rampe. Afin d'éviter la gamelle, Léon était concentré sur ses pieds et sautait comme une biche effarée, quatre marches à la fois. Sa cagoule le gênant pour voir « large », selon ses termes, il a eu la brillante idée de s'en débarrasser au moment même où l'autre personne arrivait à sa hauteur. Aveuglé trois secondes, ce qui devait arriver arriva : il s'est mangé l'intrus de plein fouet, l'entraînant avec lui dans sa chute. Ils ont tous les deux dévalé un étage dans les bras l'un de l'autre, la cagoule orpheline se retrouvant abandonnée sur une marche. Il est inutile de préciser que tous les locataires étaient alors sur leur palier. Léon s'est relevé et a couru jusqu'à la porte, a traversé la cour et le porche à mille à l'heure, laissant le pauvre type, sonné, allongé par terre.

« Mais ce n'est pas tout... Le pire arrive. Je t'avais dit que tu allais m'en vouloir.

— Ah, parce qu'il y a pire ? Moi qui trouvais que c'était déjà grandiose... »

Léon a repris son souffle derrière l'arbre d'où il faisait le guet habituellement et a enlevé son blouson noir et ses moufles. Il a planqué le tout entre deux voitures, en attendant de pouvoir les récupérer et de rentrer chez lui. En moins de dix minutes, les pompiers et les flics sont arrivés. Léon s'est approché et mêlé aux badauds comme s'il venait d'arriver, pour demander ce qui se passait.

« Quelqu'un a été blessé pendant une tentative de cambriolage. Le voleur s'est échappé mais la personne qui a essayé de l'arrêter a une jambe cassée.

— Une jam-jam... jambe ca-cassée ?

— Ouais, à ce qu'il paraît. La gardienne, elle dit qu'elle a vu le mec s'enfuir et qu'elle l'avait déjà vu rôder dans les parages. C'est un voyou du quartier, elle en est certaine.

— Ah, b-b-bon ? Mais elle a vu son-son, son visage ?

— Ah, ça, faut l'interroger vous-même, mon bon monsieur, j'en sais rien !

— Circulez, y a rien à voir ! On laisse passer la civière, s'il vous plaît, et on laisse respirer le blessé. C'est une personne de votre famille ? Vous la connaissez ? Oui ? Non ? Non... Alors vous dégagez s'il vous plaît. »

Pendant que les flics questionnaient les témoins de la scène pour dresser un portrait-robot et diffuser le signalement du malfrat avant qu'il ait quitté le pays, Léon en a profité pour récupérer son déguisement et déserter le coin. C'est à la maison qu'il a fini par atterrir.

« Et tu as vu qui c'était ?

— Pas bien.

— Comment ça, pas bien ? C'était Edgar ou pas, le type que tu as renversé dans l'escalier ?

— Je n'en sais rien... Peut-être.

— Comment ça, peut-être ? Ne me dis pas que tu n'as pas eu la présence d'esprit de te pencher pour regarder ?

— J'ai essayé.
— Et alors ? Tu as vu quoi ?
— Ses cheveux, ils étaient bruns. Sinon, rien.
— Rien ?
— C'est une dame qui me gênait.
— Je n'y crois pas ! Tu le fais exprès ou tu es juste très con pour m'emmerder ? Et les clés, tu les as ?
— Non, elles sont restées là-bas.
— Rhabille-toi, on va les chercher maintenant. Allez, bouge ! Tout de suite ! Dépêche-toi ! Et tu as intérêt à les retrouver, sinon je te garantis que tu vas entendre parler de moi. »

Léon s'est rhabillé et au moment où nous nous apprêtions à partir, mon portable a sonné. Ça ne pouvait être que Martin qui venait à son tour au rapport. Confiante, j'ai décroché.

« Alors ? Tu as du nouveau ?
— Je suis en bas de chez toi. Je monte. »

Et merde...

Je pense que quelqu'un, quelque part, m'en veut. Avec zéro chance dans la vie et un facteur « probabilité que je tombe sur lui » proche également de zéro, je me suis pris un boomerang se déplaçant à la vitesse de la lumière en pleine figure. Pourquoi tant de haine ? Pourquoi maintenant ? Pourquoi moi ? Pourquoi Léon ? Pourquoi la guerre ? Pourquoi les minijupes reviennent-elles à la mode ? Pourquoi les cafards survivent-ils à 60° en machine ? Pourquoi ?

Parce que.

39

J'ai répondu à celui que je croyais être Martin et c'est Edgar qui s'est retrouvé devant ma porte à une heure où ça ne se fait pas de débarquer chez les gens sans prévenir. J'allais d'ailleurs le lui faire remarquer, l'attaque étant la meilleure défense, mais je n'en ai pas eu le temps. Après des jours de recherche et une équipe sur les dents, digne de *Perdu de vue,* j'avais en face de moi l'abonné absent tant attendu. Il bouillonnait de rage. Il ressemblait à Hulk quand il n'est pas content. Mon cœur battait la chamade. Mon sang s'est vidé de ma tête et d'un seul coup, sans crier gare, je me suis évanouie, tout pareil qu'au jardin d'Acclimatation. La main sur le front en poussant un petit cri de souris prise au piège. « Couic. » J'aurais bien aimé me réveiller cent ans plus tard et qu'Edgar ait oublié la raison de sa présence ici, mais non. Edgar était à califourchon sur moi et tentait de me réanimer à coups de baffes tout en hurlant mon prénom. J'ai trouvé inapproprié de lui rappeler que premièrement, je n'étais pas sourde mais juste évanouie, et que deuxièmement, s'il continuait à me gifler, il allait finir par s'en manger une lui aussi. Je reculais le moment de refaire surface qui correspondait à celui, inévitable, où j'allais devoir l'affronter. J'avais gardé volontairement la bouche entrouverte espérant un bouche-à-bouche salvateur que tous les secouristes pratiquent quand une vie est en danger. La mienne ne l'était visiblement pas car j'attends encore ! Je l'entendais aussi crier sur ce pauvre Léon qui, décidément, n'était jamais au bon endroit, au bon moment, avec les bonnes personnes.

« Mais bouge-toi, nom de Dieu ! Va chercher la voiture, je ne sais pas moi, mais fais quelque chose au lieu de me regarder comme si tu avais vu un fantôme ! »

Edgar ne pensait pas si bien dire.

« Da-da...

— Quoi Dada ? Tu vas nous faire un malaise toi aussi ? Ma voiture est garée au coin. Tiens, attrape les clés. Tu es handicapé ou quoi ? Elles sont tombées derrière le canapé. Non... De l'autre côté. Mets-toi devant l'entrée de l'immeuble, je vais la porter jusqu'en bas. Allez ! Vas-y ! Bouge ! »

J'ai entendu la porte claquer et c'est le moment que j'ai choisi pour refaire surface.

« Où suis-je ? Qu'est-ce qui s'est passé ?

— Tu te sens comment ?

— Horriblement mal. Edgar ? C'est toi ? Mais qu'est-ce que tu fais là ? Tu es rentré ?

— Tu t'es évanouie et en tombant, tu t'es ouvert la tête. Il faut que tu ailles à l'hôpital, c'est profond.

— Mais non, ça va. Je vais bien. Regarde, je n'ai rien. »

J'ai vérifié l'état de ma blessure en passant ma main sur mon crâne. En découvrant qu'elle était tachée de sang frais, j'ai failli retomber aussi sec dans le potage, ce qui m'a valu une nouvelle fournée de claques.

« Oh, hé ! Je suis blessée, je te signale ! Ça ne va pas la tête ou quoi !

— On va t'emmener à Bichat. Ton ami est allé chercher la voiture.

— Quel ami ? Quelle voiture ?

— Ne te fous pas de moi, Garance. Si j'étais à ta place, j'éviterais. On ne peut pas dire que je sois vraiment d'humeur ce soir.

— Oh... ma tête, j'ai tellement mal, si tu savais. Ça t'ennuie si je me rallonge ? Je suis mieux par terre.

— Fais comme chez toi. Alors ?

— Alors quoi ?

— Tu peux m'expliquer ?

— T'expliquer quoi ?

— Tu vas répéter tout ce que je dis ?

— Peut-être qu'en tombant, j'ai perdu la mémoire. Tu sais, ça arrive. Rassure-toi, je sais bien qui tu es mais je ne comprends pas ce que tu veux.

— Tu as donc décidé de me prendre pour un con ?

— Pas du tout.

— OK, très bien. Alors c'est moi qui vais t'éclairer. Aglaé en a marre d'être épiée par le même mec depuis des jours, qui se planque en bas de chez elle en attendant qu'elle rentre. Ça n'évoque pas un souvenir chez toi ?

— C'est toi qui as pris un coup sur la tête ?

— Et les coups de fil anonymes qu'elle reçoit en pleine nuit, ça non plus, ça ne te dit rien ?

— Franchement, je suis vexée que tu puisses croire une minute que je suis capable de faire un truc pareil. Je te jure, ça me sidère. Je pensais que tu me connaissais mieux que ça mais je me suis gourée. Ce n'est pas grave.

— Arrête ton cinéma, tu veux. Et l'hystérique qui a débarqué à mon bureau, déguisée comme une pute et ivre morte, c'est pas toi non plus ?

— Du moment que j'ai ma conscience pour moi, le reste... Tu n'as qu'à croire ce que tu veux, je m'en tape.

— Et ton ami Léon qui traîne tous les soirs devant chez moi depuis que tu as croisé Aglaé au restaurant un peu moins d'une semaine après mon retour de Cebu, c'est une vue de l'esprit, ça aussi ?

— Léon ? Connais pas. Et comment tu sais qu'il s'appelle Léon, d'abord ?

— Parce que ce con a semé sa cagoule dans mon escalier et que, comme il ne fait visiblement pas les choses à moitié, il se trimballe avec des fringues marquées à son nom ! Il a quel âge, ton Léon ? Huit ans ?

— Je ne sais pas de qui tu parles, je ne sais pas de quoi tu parles, et au cas où tu l'aurais oublié, je me vide de mon sang. Alors, si ça ne t'ennuie pas, je passerai au tribunal plus tard. L'hosto d'abord.

— Tu ne perds rien pour attendre, je te préviens. Prends ton sac, l'autre attend en bas. »

Notre trajet jusqu'à Bichat s'est déroulé dans un silence de plomb, ambiance convoi funéraire, avec Léon dans le rôle du croque-mort. Il ne pipait mot et fixait Edgar. En étudiant les expressions de son visage qui me devenaient familières, j'ai compris qu'il venait tout juste de percuter que le type de la photo, qu'il filait depuis des jours sans jamais l'avoir croisé, s'était matérialisé comme par enchantement dans cette Range Rover et qu'il était assis à vingt centimètres de lui. J'ai alors pris conscience, à mon tour, de l'ampleur du décalage chez lui entre vision, interprétation et compréhension. Ce décalage relevait du gouffre. Et quand il avait peur, comme en ce moment, son état empirait singulièrement. Les messages et informations envoyés de ses yeux à son cerveau mettaient trois fois plus de temps que la normale à remonter la filière. J'ai eu pitié de lui et bien que je sache qu'en le libérant j'allais me retrouver seule avec mon bourreau, j'ai mis fin à son calvaire.

« On va te déposer à un taxi, Maxime.

— Max-max-maxi...

— ... Je sais que tu sais comment tu t'appelles, on va pas le répéter, c'est pas la peine. On n'a pas besoin d'arriver à trente mille à l'hôpital. Edgar, ça t'ennuie de t'arrêter dès que tu en vois un ?.. S'il te plaît. »

Léon est descendu sans demander son reste et s'est engouffré dans le taxi comme si sa vie en dépendait.

« Tu vas rester derrière ou tu passes devant ? »

Je suis passée devant. Edgar ne quittait pas la route des yeux et pestait en tapant sur le volant dès que le feu passait au rouge ou que la voiture devant lui n'allait pas assez vite.

« Tu vas faire des trous dans ton volant si tu continues.

— Ta gueule.

— Ça me change de merde. »

À l'entendre, tous les automobilistes s'étaient donné rendez-vous pour créer des embouteillages dans un seul but : le mettre de mauvais poil et l'empêcher de passer. Je n'aurais jamais soupçonné qu'il pouvait avoir en lui autant de violence.

« Tu es sûr que le doigt que tu as fait à ce pauvre type était indispensable ?

— Ta gueule.

— Tu n'as pas appris d'autres mots aux Philippines ?

— Ta gueule.

— La réponse est non, donc.

— Je te jure, Garance, ne me cherche pas. Ma patience a des limites, je t'assure. J'attends qu'on te recouse avant d'avoir une explication mais ne viens pas me titiller, c'est tout ce que je te demande pour l'instant.

— Si tu m'accompagnes à l'hôpital pour faire du boudin pendant tout le trajet et me hurler dans les oreilles, je peux très bien y aller toute seule.

— Descends, je ne te retiens pas.

— Tu es devenu susceptible ou je rêve ? Je peux dire une dernière chose ? Après, promis, j'arrête.

— Non. Sauf si tu es décidée à m'expliquer.

— Je ne sais pas si ça vient du climat de là-bas ou de ton alimentation, mais je trouve que tu as bien changé. Voilà, c'est tout, j'arrête. »

Soit je continuais à le prendre pour un abruti et à jouer les amnésiques. Soit je persistais dans l'art de le titiller jusqu'à ce qu'il s'énerve pour de bon. Soit je faisais semblant de dormir pour avoir la paix. Soit je sautais de la voiture en marche, tout simplement parce que c'est ce que font la plupart des gens qui sont prisonniers dans les feuilletons policiers. Des quatre options, j'ai choisi celle qui me semblait la plus sage. Je lui ai tourné le dos et j'ai somnolé. Nous n'avons pas décroché un mot de plus jusqu'à l'hôpital et, à l'accueil des urgences, l'infirmière a vu débouler deux énergumènes aussi complices que Ben Laden et George W. Bush...

40

Je ne souhaite pas à mon pire ennemi de connaître les urgences d'un hôpital. Sauf à Aglaé. Après une vingtaine de minutes d'attente qui m'ont paru interminables, une infirmière est venue nous chercher pour nous conduire dans une salle minuscule où était affairé un homme en blouse verte qui avait plus l'air d'un jardinier que d'un médecin. Je n'étais pas mécontente de quitter la cour des Miracles et, avec mon bobo ridicule au milieu de tous ces blessés graves qui souffraient, saignaient, pleuraient, criaient, suppliaient, je me suis fait l'effet d'une anorexique à une réunion Weight Watchers. Décalée. Pas à ma place. Le médecin, Nicolas quelque chose, d'une cinquantaine d'années, plutôt bel homme et souriant, m'a reçue très gentiment et, au traditionnel « Comment est-ce arrivé ? », j'ai répondu que j'avais glissé bêtement en allant ouvrir la porte.

« Si vous saviez le nombre de personnes âgées qui tombent et se blessent gravement tous les jours, vous seriez étonnée ! Non pas que vous soyez âgée, bien entendu.

— Bien entendu.

— Et vous avez glissé comment ?

— Laissez tomber, docteur, elle est devenue amnésique après sa chute. À l'écouter, je ne sais même pas si elle sait qui je suis.

— Tiens, c'est vrai, tu es qui, toi ?

— Ta gueule, Garance.

— Vous êtes son mari ?

— Non.

— Vous ne vous souvenez vraiment pas de ce qui s'est passé, mademoiselle ?

— Vas-y, réponds !

— Ça vous ennuie de sortir, monsieur, pendant que j'ausculte votre amie ? »

Oui, ça l'ennuyait, Edgar. Il n'avait aucunement l'intention de rater mon numéro. Mais il a compris qu'il n'avait pas le choix. C'était un ordre. Il a quitté la pièce en me jetant un regard noir ébène. Je suis restée seule avec mon quinquagénaire et ses beaux yeux bleus.

« C'est votre ami qui vous a frappée ?

— Il aurait bien aimé, mais il n'en a pas eu le temps, je me suis évanouie avant. Mais je vous rassure, il m'a réveillée avec une bonne douzaine de baffes.

— Laissez-moi regarder votre blessure de plus près. Vous allez avaler ce cachet pour vous détendre.

— C'est quoi ?

— Du Tranxene. »

La plaie n'était que superficielle et il n'a pas trouvé utile de faire des points de suture. Il a désinfecté méticuleusement, mis de la crème et m'a conseillé de ne pas me laver les cheveux pendant une bonne semaine, le temps que je cicatrise. Je n'avais pas mal à la tête mais je souffrais le martyr moralement. Edgar était dehors, probablement à faire les cent pas, à s'énerver, à essayer de comprendre comment j'avais pu tomber si bas et me transformer en une chiffonnière alcoolo pleine de mauvaises surprises. Et moi j'étais là, assise sur un tabouret rond, à réfléchir, appréhendant le moment où j'allais devoir m'en aller. Il fallait bien que je trouve une solution pour me justifier et enterrer la hache de guerre. Ou pas. Quelle idée d'avoir pris le parti de nier sur toute la ligne ! À ma décharge, quand je l'ai vu, là, très énervé, sur le pas de ma porte, j'ai eu une seconde pour préparer un plan d'attaque. Superplan. Que du positif.

Quelqu'un peut-il m'expliquer pourquoi, partout où je passe, l'herbe ne repousse jamais ? J'en ai marre d'être moi, d'être née, d'être folle, d'être irresponsable, immature, irraisonnée, de boire et de partir en vrille chaque fois que je suis contrariée ou que les événements ne s'enchaînent pas comme je le souhaite. J'ai une plaie sur la tête. C'est normal. Je suis moi-même une énorme plaie. Une plaie ambulante. Une plaie béante. Si j'avais un mec qui était comme moi, je n'en voudrais pas, alors pourquoi un mec voudrait-il de moi ? Ma vie est un désastre et c'est légitime. Je n'ai à m'en prendre qu'à moi-même ou me faire greffer un nouveau cerveau. Malheureusement, le docteur n'a ni pommade ni médicament pour soigner l'intérieur des têtes. La mienne aurait fait un excellent sujet de thèse pour un interne à la recherche d'un cas social.

« Vous allez bien ? Je vous vois perdue dans vos pensées. Vous avez mal ?

— Pas à la tête, non. Mal au cœur, mal au ventre, mal au cerveau, mal partout. »

La consultation a tourné au monologue. C'est fort, le Tranxene. Et ça fait parler. Délirer, même...

« Je sais que je peux vivre avec lui, pendant presque sept mois on a vécu sous le même toit, mais je ne sais pas, par contre, si je peux vivre sans lui. D'un autre côté, je l'ai bien fait depuis plus de deux mois et je ne suis pas morte. Quand on voit le résultat, on se dit que j'aurais peut-être dû.

— Dû quoi ?

— Mourir. Je ne sais pas, j'ai un peu comme un pressentiment que ma petite histoire ne va pas aller en s'arrangeant. Attendez ! Je ne nie pas que j'ai commis des erreurs, si je vous racontais, vous n'en croiriez pas vos oreilles, mais c'est pas le propos. Je pensais que j'aurais le courage, l'énergie, l'intelligence, la force, la patience de m'habituer à la présence d'Aglaé, c'est la meilleure amie d'Edgar, de me résigner ou de le faire changer. Mais je n'ai pas toutes les cartes en main et si j'arrive à faire mourir sa grand-mère juste en y pensant, je n'ai pas trouvé l'astuce pour faire mourir l'autre conne. Vous savez ce qu'il m'a offert comme cadeau avant de s'envoler pour les Philippines ?

— Qui ?

— Le pape ! Un break ! C'est pas beau ça ! Il m'a offert un break !

— Une voiture ?

— Alors que moi, la veille de son départ, je me suis fendue d'une suite au Crillon pour me retrouver frigorifiée dans une baignoire. Il est vulcanologue, je vous l'ai dit, déjà ? Non ? Ça fait bien comme ça, dans une conversation, mais bon... Et l'Etna par-ci, et l'Etna par-là. Tout le monde s'en tape, de l'Etna. Vous n'avez pas un autre comprimé ? Même pas un demi-cachet ?

— Vous allez vous reposer un peu avant de partir.

— Je sais bien qu'il va falloir que je me résigne et que je fasse une croix sur Edgar. Il est toujours dans le couloir ? Ça vous embête pas d'aller voir ? Merci, vous êtes gentil. J'attends là, je ne bouge pas. Vu mon état, de toute façon, je ne vais pas aller très loin. Le problème, parce que c'est un problème, voyez-vous, c'est que je sais qu'Edgar et moi, c'est fini. Mais comme me dit ma mère, il vaut mieux être mal accompagnée et se demander pourquoi lui, que seule en se demandant pourquoi moi. Du coup, je ne suis pas d'accord avec la décision d'Edgar de me quitter, et du coup je lui pourris l'existence et il ne peut pas faire un pas sans que je sois à ses basques. Forcément, il en a marre de moi. Je me suis tellement mal comportée qu'à sa place, je me serais quittée aussi. Vous allez me dire : "Comme on fait son lit, on se couche." Vous avez raison. Je fais mon lit n'importe comment depuis des semaines. Alors, quand je me couche, c'est très désagréable... Vous êtes revenu ? Alors, il est toujours dans le couloir ?

— Vous parliez toute seule ?

— Il est là ou pas ?

— Non, il est parti. Je vais vous garder encore une demi-heure. En observation. L'effet du cachet devrait s'estomper rapidement. »

Il m'a installée sur un brancard et m'a laissée dans le couloir, me promettant qu'il reviendrait me voir avant que je file. J'ai roupillé trois quarts d'heure en ronflant comme une baleine.

41

La salle d'attente était vide. La salle de la machine à café, désertée. Edgar n'avait pas attendu. Nicolas m'avait prévenue, paraît-il, mais je ne m'en souviens pas. Je m'étais trompée sur la capacité d'Edgar à culpabiliser s'il m'arrivait quelque chose. Sa patience avait en effet ses limites et il était parti. Dommage. C'était maintenant que j'avais besoin de lui. Une infirmière de garde a appelé un taxi qui est venu me prendre devant l'entrée principale des urgences. Machinalement, j'ai cherché des yeux la voiture d'Edgar, espérant que peut-être il s'était endormi dedans. Il faisait déjà jour et la température était très douce. Le beau temps s'installait, mais le parking était vide. Vide comme ma vie. Vide comme mon avenir. J'ai pleuré toutes les larmes de mon corps. Le chauffeur, indiscret, cherchait à savoir si je sanglotais à cause d'une blessure ou de la mort de quelqu'un, puisque je sortais de l'hôpital. Il n'arrêtait pas de regarder dans son rétroviseur avec les yeux plissés par une douleur faussement partagée. Le pauvre essayait de relancer, en vain, la conversation. Je coupais court chaque fois d'un signe de la main. Je suis arrivée à la maison dans un état de décrépitude avancé, charriant un terrible vague à l'âme et une tristesse absolue. Je me suis couchée sans grand espoir de fermer l'œil, mais j'ai dû finir par m'assoupir, étourdie par la vitesse à laquelle mes pensées affluaient, et sans doute aidée par un léger résidu du calmant que m'avait fait avaler le toubib. Le réveil m'a brutalement sortie de ma torpeur à 8 heures. Incapable de me lever, j'ai appelé le bureau une heure plus tard et me suis fait porter pâle par Sylvie.

Et me voilà ce matin « en vacances » pour la journée. Sous la couette. J'y étais aussi le jour où j'ai commencé mon récit, il y a quelques mois, mais alors j'étais comblée, si je me souviens bien. Comblée et amoureuse. Les temps changent. En ce 10 mai, je suis lessivée, égarée, paumée et alitée. Mes idées sont noires et je suis incapable de discerner clairement les raisons qui me font souffrir. Encore moins où se situe la frontière entre l'amour, l'idée de l'amour, l'envie de l'amour et l'urgence de l'amour. Cette frontière existe-t-elle ?

Je repense à ce que ma mère disait souvent à mon père quand ils étaient plus jeunes et qu'elle le harcelait pour savoir s'il l'aimait. Quand elle lui disait : « Tu m'aimes ? », il lui répondait : « Je t'aime beaucoup », « Je t'aime énormément ». Ça la rendait folle. Il n'y a que « Je t'aime » qui a de l'importance. Un « Je t'aime » tout seul. Edgar ne m'a jamais dit qu'il m'aimait beaucoup ni même énormément mais qu'il me trouvait « mignonne de l'aimer », ce qui est bien pire. Il faut que je prenne une décision. Il est déjà 4 h 30 et il est impensable que je me couche ce soir sans avoir avancé d'un pouce. Edgar doit être au bureau. Je lui dois non pas des excuses, plutôt crever, mais au moins une vraie explication. Je n'ai pas très envie de m'y coller, mais je ne vais pas pouvoir me terrer chez moi toute la vie et fuir mes responsabilités. Je vais commencer par aller marcher dans la nature. Je vais me défouler, crier et courir. Peut-être que je vais rentrer à la maison avec l'explication béton qui me fait défaut pour appeler Edgar. Les rares fois où je suis sortie m'aérer au bois de Boulogne, j'ai toujours trouvé que la nature était un excellent moyen de se ressourcer et qu'elle aidait souvent à y voir plus clair. Il fait beau et chaud. Des couples se promènent main dans la main, se parlent d'amour et refont le monde. Enfin, j'imagine. Moi, j'ai les mains dans les poches et personne pour me les tenir. Je suis là, dans l'allée, en jogging, avec mes baskets « du dedans » dehors. Le vendeur va criser mais c'est le cadet de mes soucis. Mon uniforme est tellement blanc qu'on ne voit que moi à des kilomètres à la ronde et que j'ai l'impression de faire la pub d'une lessive. J'ai les cheveux gras, collés par le sang séché et aplatis sur le sommet du crâne comme si j'avais dormi avec une cagoule. Je suis immonde. J'erre comme une âme en peine autour du lac à ressasser mes problèmes et à chercher des solutions. Je n'en ai pas trente-six. Je dois prendre mon courage à deux mains, respirer un grand coup et l'appeler. Son numéro... C'est quoi son numéro ? Je suis incapable de m'en souvenir ! Je connais par cœur son numéro chez lui, mais il n'y sera pas. Je connais par cœur son numéro de bureau pour l'avoir composé douze milliards de fois, mais il est hors de question que j'appelle là-bas à cause de la standardiste qui m'a dans le collimateur. Et j'ai totalement oublié son numéro de portable. Zappé. Ma psy, si j'en avais une, dirait que c'est un acte manqué. Respire, Garance, respire. Ne fais pas l'enfant. Regarde dans ton répertoire de téléphone portable à la lettre « E », Edgar est là. Appuie sur la touche « appel » tout de suite sinon tu ne le feras jamais et jette-toi à l'eau. C'est tentant, le lac est si près...

« C'est moi.

— C'est qui, moi ?

— Garance, qui veux-tu que ce soit ?

— Garance ? Tiens...

— Je sais, je suis désolée pour hier, mais ne dis rien et écoute-moi sans me couper la parole s'il te plaît, sinon je n'aurai jamais les nerfs d'aller jusqu'au bout. Alors voilà... Quand tu es parti pour Cebu, tu n'as jamais parlé de rupture. Tu m'as...

— Attends, attends...

— Laisse-moi finir, c'est déjà assez difficile pour moi de te dire tout ça. Quand je t'ai demandé, si tu te souviens bien, si tu me quittais, c'est toi qui as insisté pour faire ce break en me disant que tu avais besoin de temps pour faire le point et qu'on verrait à ton retour où on en était. Avant de partir, tu m'as dit que tu me trouvais changée, que tu t'ennuyais avec moi, que tu n'avais plus envie de me faire l'amour. Depuis, j'ai énormément réfléchi mais à ce moment-là, j'étais supermal. Je n'avais pas de boulot, pas le moral et je...

— Je peux...

— Je t'explique d'abord, et après je t'écoute. Mais là, il faut que ça sorte, alors je t'en prie, arrête de m'interrompre. À l'époque, je déprimais parce que je sentais bien que tu t'éloignais, et plus tu t'éloignais, plus je déprimais. J'étais dans un cercle vicieux atroce et mes problèmes avaient vraiment l'air de te passer au-dessus de la tête. J'ai même pensé que tu avais une autre nana et que c'était Aglaé et que...

— Aglaé ?

— Oui, je sais, c'est idiot mais je refusais de croire que tu partais parce que tu ne m'aimais plus. Quand j'ai recommencé à bosser, je me suis remise à sortir, à rencontrer des gens, à faire la fête. Si j'ai fait ça, c'était pour toi. Pour que tu me retrouves telle que tu m'avais connue. Je suis même partie en Martinique, j'ai perdu huit kilos et j'ai attendu que tu rentres en me disant que tu allais me trouver changée et surtout que tu serais fier de moi. Je n'avais toujours pas de nouvelles de toi au bout de plus de deux mois et ça m'a gonflée. Du coup, quand j'ai appris par Aglaé que tu étais à Paris, j'ai cru que je devenais barge et je n'ai pas arrêté de te téléphoner et de te laisser des messages. Même là, tu ne m'as pas rappelée. Je voulais juste t'entendre me dire en face que c'était fini. Je crois que je méritais au moins ça. Non ?

— Garance, je crois...

— Tu n'as pas besoin de te justifier, je ne te demande plus rien, c'est trop tard. Et autant que tu saches tout jusqu'au bout. C'est vrai que j'ai demandé à Léon de...

— Léon ?

— Oui, c'est le mec que tu as vu à la maison hier. Il s'appelle Léon, pas Maxime. Je lui ai demandé d'aller chez toi parce que je voulais vérifier que tu étais bien rentré car je n'ai jamais pu blairer ta copine Aglaé, il faut quand même que tu le saches, je la hais, et j'étais persuadée qu'elle m'avait raconté des bobards. Alors, oui, OK, d'accord, je t'ai fait surveiller, mais mets-toi à ma place, j'avais super les boules. Tu étais enfin à Paris et pas une nouvelle ! Faut pas déconner, quand même ! »

Le « Faut pas déconner » marque le début du changement de ton et je commence à m'emballer sévère. Je ne sais pas quelle mouche m'a piquée mais d'un seul coup, un nouveau *round* se joue. Pour la première fois depuis des lustres, je jubile.

42

Je parle fort, je parle haut, je suis cynique, blessante à foison, je crie, je critique et j'adore ça. Je fais des grands gestes pour donner plus de corps à mon discours. De loin, on pourrait croire que je me bats contre un essaim de frelons enragés. J'attaque Edgar et ne lui laisse pas l'occasion d'en placer une. Dès qu'il s'aventure avec un « Mais qui... », « Mais quoi... », « Mais de quoi... », « Mais comment... », je lui fais ravaler aussi sec sa Valda. C'est MON moment. Plus j'en dis, plus j'en ai à dire. Les souvenirs se bousculent au portillon et je les lui jette en pleine oreille sous la forme d'un reproche ou d'une banale constatation. Raison, conviction, concession, tristesse, résignation, réalité, motivation, compromis, priorité, temps, vérité, orgueil, conscience, choix, justification, disponibilité... Je suis au théâtre et sur scène. Quel pied ! Je n'ai pas moufté pendant des années, n'osant pas m'affirmer ni aller au conflit de peur de faire du mal ou de créer des tensions avec qui que ce soit. Toute cette frustration, cette colère, cette injustice ressortent d'un seul coup. Le pauvre mec se prend une collection de timbres vieille de trente-cinq ans dans les dents sans broncher. Je fais référence à des événements tellement anciens qu'il doit en perdre son latin.

J'inverse les rôles. Je ne suis plus victime mais bourreau. Je lui explique en long, en large et en travers que je viens de réaliser, grâce au ciel, que ce que j'aimais chez lui, c'était en effet l'idée de l'amour et pas lui. Lui n'avait rien à voir là-dedans car il n'était, après mûre réflexion, pas quelqu'un d'aimable au sens premier du terme. Je lui explique que j'ai réalisé qu'il ne me respectait pas, qu'il ne me tirait pas vers le haut, qu'il ne s'intéressait qu'à lui et à ses petits problèmes de volcans à la con et qu'il ne voyait pas plus loin que le bout de son nez. Je lui explique qu'il est égoïste, nombriliste, égocentrique, dictateur, arriviste, suffisant et pas drôle mais alors pas drôle du tout. Je lui explique que s'il avait été un type bien, il n'aurait pas déboulé chez moi en pleine nuit pour me faire une scène débile. Non, il serait venu pour me consoler et essayer de comprendre pourquoi j'en étais arrivée là. La jalousie est une souffrance pire encore pour celui qui la porte comme une seconde peau que pour celui qui en est l'objet. Pas une seule fois Edgar n'a cherché à intervenir vraiment. Il est bouche bée et c'est bien fait. Je suis tellement bien partie que je continue sur ma lancée. Je suis portée par une énergie nouvelle quand, en passant à côté de la buvette près du lac, il me semble reconnaître quelqu'un. La silhouette m'est familière, mais je suis trop loin pour distinguer le visage. Tout en continuant à engueuler Edgar, je m'avance d'un pas décidé vers le bar.

Pince-mi et Pince-moi sont dans un bateau. Pince-mi tombe à l'eau, qu'est-ce qui reste ? Pince-moi. Oui, pincez-moi car la scène qui se déroule sous mes yeux tient du cauchemar. Je parle avec Edgar au téléphone et, miracle de la technologie, il est en face de moi, n'a pas de téléphone et s'adresse en souriant à une autre femme. Il est accoudé au bar à environ cent mètres de moi. Il tient cette femme par la taille. Elle a la jambe dans le plâtre et des béquilles. *Jésus reviens, Jé-é-sus reviens ! Jésus reviens parmi les tiens !* Je dois vite gérer le plus urgent en premier. Au-delà du fait qu'Edgar roucoule avec une radasse unijambiste, mon souci majeur dans l'immédiat est de savoir qui est au téléphone et m'écoute depuis une vingtaine de minutes sans rien dire. Vous devez reconnaître que le sort s'acharne contre moi et s'il m'est arrivé de croire que Dieu jouait parfois le sort des hommes aux dés, les miens doivent être pipés. Je tremble comme une feuille morte et je me maudis. Je m'assois au pied d'un arbre dont le tronc me protège des regards et mes mains retiennent ma tête qui ne demande qu'à se détacher et à rouler dans la mousse. Je ne crois pas qu'Edgar m'ait vue ou alors il est bon acteur. Je lui réglerai son compte plus tard. Pour l'instant, bien qu'anéantie, j'ai d'autres chats à fouetter. Chaque chose en son temps. Le téléphone d'abord.

Je suis hypnotisée par cet engin que je n'arrive pas à quitter des yeux et à l'idée d'avoir à dire « Allô ? », j'ai des palpitations. Je viens de déballer mon linge sale sans aucune pudeur à quelqu'un et je ne sais pas à qui. Courage, fuyons ! Ça me va très bien. Je retiens ma respiration pour ne pas faire de bruit et décide que le plus sage est tout bonnement de raccrocher. Très délicatement, comme si le correspondant allait surgir du micro comme un diablotin de sa boîte, j'effleure la touche « no ». Pas téméraire. Je me sens affreusement seule au monde en rangeant le portable au fond de ma poche. De ma cachette, je me retourne alors pour épier tout à loisir le bar et nos deux tourtereaux. Il n'y a plus personne. Je l'ai laissé filer comme une débutante mais j'aime autant, avec ma panoplie de première de la classe et ma tronche d'épileptique en début de crise. Je traîne la savate en rebroussant chemin. Edgar me trompe. Il a bien caché son jeu, l'enfoiré. Et le week-end dans le Lot ? Et les charrettes au bureau ? Et les dîners professionnels ? Et le voyage aux Philippines ? Et la culotte taille 42 au fond de son lit ? Qu'est-ce que j'ai été naïve ! Qu'est-ce que j'ai été conne, oui ! Et ça dure depuis combien de temps, cette petite histoire ? Je fais exactement ce que je ne devrais pas faire dans ce cas-là, repenser au passé et à tous les moments où j'ai eu des doutes. Et Aglaé... Alors celle-là, elle a bien dû se marrer. La maîtresse d'Edgar est brune et a un plâtre. Si ça se trouve, c'est la fille que Léon a fait valdinguer dans l'escalier. Comme des idiots, on a focalisé sur un homme. Je comprends mieux maintenant pourquoi il ne me rappelait pas. Je pense trop, j'ai la migraine...

Je somatise sur Edgar et sa liaison. Je somatise aussi sur ce téléphone et tant que je ne saurai pas à qui j'ai raconté ma vie, je ne trouverai pas la paix intérieure. Les filles me conseilleraient sans doute de laisser courir et de ne pas remuer le couteau dans la plaie. Je me connais, je ne vais pas tenir. Il faut que je sache. Une jeune femme et un enfant en jogging passent en marchant tout à côté de moi. Ils ne m'ont pas encore vue, mais dès que le gamin m'aperçoit, il se met à hurler et à courir, sa mère sur les talons, comme si j'allais bondir pour les dévorer. Le pouce sur la touche « yes » de mon portable, je croise les doigts et j'attends avec impatience de savoir qui va me tomber dessus une fois que j'aurai demandé le rappel automatique du dernier numéro composé. Je suis une morte vivante et je fais peur aux enfants. Il ne peut rien m'arriver de pire...

43

En rentrant, j'avais un message de Marine qui voulait confirmer le dîner filles de ce soir. J'ai laissé à mon tour un message chez elle, sachant qu'elle n'y serait pas, prétextant une charrette au boulot. J'ai également appelé Sylvie pour demander un jour de congé supplémentaire à cause de ma blessure à la tête. Elle va s'occuper de mes clients demain matin. C'est sympa de sa part. Je me suis couchée en jogging avec mes baskets sans prendre la peine de me démaquiller ni de me brosser les dents. Une nouvelle nuit a passé, peuplée de cauchemars et ponctuée d'insomnies.

Je suis chez moi. Trop c'est trop. Ma coupe est pleine. Elle déborde. Sur ma dalle, je souhaite que soit sculptée, en petites lettres, dans un marbre ni trop tapageur ni pas assez, cette épitaphe :

« *Ci-gît Garance Kléberg. Je me suis éteinte comme j'ai vécu : sans prétention, sans bruit et toute seule comme une merde. Maintenant, je vais avoir l'éternité devant moi pour bouffer les pissenlits par la racine sans que personne ne vienne troubler mon repos éternel. Si l'idée vous en dit, vous pouvez me rejoindre, je vous attends à cette adresse. Prenez votre temps, je ne pense pas déménager dans l'immédiat. Ne marchez pas sur les fleurs, j'en aurai pas d'autres, et quand vous les arroserez, faites-le plutôt avec de la vodka tonic. Ça fortifie les pissenlits et si je peux en récupérer une lichette, ça ne pourra plus me faire de mal. Merci. Signé : Moi.* »

C'est court, précis. Ça me paraît bien. Pour que mon suicide soit efficace et rapide, j'ai le Destop liquide, trois cachets d'aspirine qui se battent en duel et de la vodka en veux-tu, en voilà. Mourir oui, souffrir non. L'aspirine atténuera la douleur. La vodka, le goût et l'acidité du Destop. La touche *yes* sur laquelle je me suis finalement décidée à appuyer m'a directement amenée chez un jeune homme du nom de Fabio. Le copain de Luc. Celui avec lequel j'avais cru avoir couché. Celui que je n'ai jamais voulu appeler. Celui qui, tout bien considéré, n'a pas du tout cherché à se faire reconnaître quand il a vu que je m'étais trompée d'interlocuteur. Celui qui doit bien se marrer maintenant. Oui, ce Fabio. J'ai appuyé sur *yes*, j'ai vu apparaître son prénom sur l'écran et, le rouge aux joues, j'ai raccroché immédiatement. Puis j'ai vérifié dans le répertoire et j'ai compris mon erreur. Si j'avais eu un Edmond ou un Fabien comme amis, jamais ceci ne serait arrivé. C'est à Edmond ou Fabien que j'aurais soufflé dans les bronches. Mais non, il a fallu que le nom de Fabio soit enregistré juste en dessous de celui d'Edgar. Je préfère quitter cette terre plutôt que d'avoir à affronter un présent trop lourd à assumer. Les filles savent quelles sont mes dernières volontés. Nous en avons déjà discuté, comme ça, de façon informelle : quelques couronnes de roses blanches et la musique de Michel Berger, *Le Paradis blanc*, à l'église. Le seul truc auquel il faut que je réfléchisse, c'est que je ne sais pas encore si je préfère un enterrement basique, genre boîte en sapin à cent pieds sous terre avec un petit cocktail convivial après ou une incinération rapide sans fioriture. Dans le premier cas, ce qui me retient, c'est que j'ai un peu peur de me cailler les miches à la longue. L'été, ça ira, mais l'hiver ? On fait comment, nous, les morts, pour ne pas se peler l'hiver ? Dans le second cas, j'ai tout simplement peur de mourir de chaud. En plus, payer pour un cercueil qu'on fait brûler deux minutes après, c'est un peu jeter l'argent par les fenêtres et ça, c'est pas bien. C'est plus rentable financièrement de se faire enterrer. Adjugé. Passons à la liste des affaires que je souhaite emporter avec moi : un bon bouquin, une barre de céréales chocolatée si j'ai les crocs, mon téléphone portable, un album photo, un jeu de cartes, un appareil photo, quelques préservatifs, un maillot de bain, une paire de jumelles, un plat à gratin, le coffret de cassettes vidéo *Angélique, marquise des Anges*, la compil des Bee Gees, du savon. Quoi d'autre ? Ma paire de chaussures de marche et mon anorak, des mouchoirs en papier, du PQ, des lunettes de soleil, un tournevis, un tube de crème hydratante... Le problème, c'est qu'un cercueil ça risque d'être trop petit. Non, ce qu'il me faut, c'est une caravane, sinon tout ne rentrera pas. Il faudra juste creuser un trou plus grand. Mais qui me dit que j'aurai besoin de tout ça là-haut ? Si la coutume veut qu'on débarque les mains dans les poches devant saint Pierre et que je me pointe avec tout mon barda, tout le monde va, comme d'habitude, pouffer de rire à mes dépens. Compliqué, tout ça...

Le téléphone de la maison n'arrête pas de sonner, mais j'ai branché le répondeur car je suis officiellement à l'article de la mort, et officieusement je me prépare pour l'au-delà. J'ai eu d'abord la secrétaire de M. Charvey qui ne trouvait pas le dossier d'un de mes clients. Comme si ça m'intéressait ! Ensuite, Arthur voulait savoir si c'était toujours OK pour le dîner du 15. Je ne pense pas. Si je venais accompagnée ? Oui, de saint Pierre s'il est à Paris. Et enfin, si j'avais eu des nouvelles d'Edgar. Oui, j'en ai eu et j'ai même eu des retrouvailles de rêve. Tous ces coups de fil, ça me retarde dans mon *timing* et je ne sais plus où j'en suis.

C'est super galère de mourir quand on veut faire les choses bien. Je ne suis pas assez égoïste pour ne pas me soucier de la peine que vont ressentir ceux qui m'aiment et les laisser dans le doute total quant aux raisons de ma mort tragique et subite. Du coup, je me sens obligée de tout préparer. C'est tout à mon honneur, je crois. Quand je pars en voyage, je ne demande pas aux autres de préparer mes bagages à ma place. Là, le voyage risque de durer un peu plus longtemps que d'habitude mais le principe est le même. J'ai déjà largement avancé mais avant de passer l'arme à gauche, j'aimerais juste faire un petit point. Récapitulons. Les lettres, c'est bon, c'est réglé. J'ai écrit une bafouille à chacune des filles, à Arthur, à Tara et Lilas et enfin, à mon banquier pour qu'il partage mon argent entre mes nièces. J'aurais pu n'en écrire qu'une et la photocopier mais connaissant les filles, je sais pertinemment qu'elles vont vouloir se les échanger pour voir si je dis pareil aux quatre. Idem pour mes sœurs et ma mère. Dans les grandes lignes, j'ai dit que je les aimais, qu'ils me manqueraient, qu'il ne fallait pas qu'ils s'en fassent, que j'allais bien, la preuve, j'étais morte à l'heure où ils liraient ces lignes, et que tout était de la faute d'Edgar. S'il y en avait un à blâmer, c'était lui. Maintenant, si je voulais vraiment peaufiner, je rangerais mon appartement mais je n'en ai ni le courage, ni l'envie. Je vais laisser un mot à la femme de ménage pour qu'elle prenne les vêtements, qu'elle les donne aux pauvres avec les réserves de bouffe que j'ai dans les placards. Elle peut s'en charger, et avec le sourire encore, car je l'ai déjà payée fin avril pour tout le mois de mai. Elle s'appelle Rosetta et je l'ai engagée il y a trois semaines. Je n'ai rien compris de ce qu'elle m'a expliqué quand je l'ai reçue la première fois mais je crois qu'elle a « bechoin dé chés chous touche les débuches dé moiches pacheque chon mari èche à l'hochpital en Echpagne ». J'ai donc réglé d'avance. C'est elle qui va me trouver demain et qui va devoir appeler la police. Ça vaut bien tout l'argent qu'elle me doit en ménage. Les meubles, les disques, l'électroménager, la télé, la chaîne, la vaisselle, les ustensiles de cuisine, les tableaux, le lecteur DVD, les bibelots, les photos, les livres reviendront à ma famille. Bien. On avance, on avance...

44

Je suis presque prête. Étendue sur mon lit, j'ai mis mes habits du dimanche : un jean, un tee-shirt blanc à manches courtes, des chaussettes blanches et des baskets bleu marine. C'est tout. Ma mère va adorer ma tenue. J'ai regroupé tous les objets dont j'ai dressé la liste plus haut et je les ai étalés tout autour de moi. Ça évitera aux autres de les chercher. J'ai fermé les volets et accroché aux fenêtres entrouvertes des tissus aériens, presque mousseux, transparents et colorés qui volent et s'emmêlent quand une brise légère se met à souffler. J'aurais dû faire ça plus tôt, c'est très beau. J'ai éteint les lumières et disposé un peu partout des bougies. Les couleurs se mélangent les unes aux autres. Les flammes dansent sur les mèches courtes et se reflètent en forme d'étoiles, de lune, de soleil sur les murs blancs devenus en quelques secondes la scène d'un jeu d'ombres et de lumières très sensuel qui pousse à l'érotisme le plus torride. C'est magnifique. Presque mystique. Je sens monter en moi des bouffées de chaleur que j'ai du mal à contrôler mais que je ne cherche pas vraiment à réprimer. Mes prières ne s'adressent pas à Dieu mais à l'un de ses collaborateurs, chargé des affaires de sexe. Je regrette de ne pas avoir un amant sous la main pour appréhender le ciel à deux de façon plus ludique. Et tant qu'à y monter, autant aller au septième direct. En tout cas, je pense à plein de choses qui n'évoquent ni la mort, ni le désespoir. Encore moins la fin. J'ai la tête pleine de fantasmes si réels que je peux les palper et ne suis obsédée que par une seule chose : m'envoyer en l'air comme si ma vie en dépendait. C'est peut-être le cas. Et si on dit souvent que la vie ne tient qu'à un fil, il n'a jamais été précisé nulle part de quel fil il devait s'agir. Rien n'a jamais été inventé de mieux, de plus sain, de plus jouissif que le sexe. Je pourrais demander à Martin de venir. Je sais que je peux compter sur lui et qu'il serait là en un temps record. La décoration, les bougies, les lumières, l'odeur d'encens que je fais brûler dans des petits plats à tajine miniatures de la taille d'une dînette, le rendraient fou, je le connais bien. Remarquez, je mets au défi quiconque de rentrer dans cette pièce sans éprouver une envie irrépressible de faire l'amour. Instantanément. Irrésistiblement. Avec ces images brûlantes plein la tête, la mort me paraît soudain très loin. À tout hasard, je jette un œil sur le mode d'emploi du Destop. Je sais que c'est un produit toxique qui sert habituellement à déboucher toilettes et éviers, mais je me demande quels dégâts il ferait dans un estomac humain. « Danger. Produit corrosif. Contient de la soude caustique anhydre. Provoque de graves brûlures, conserver sous clé et hors de portée des enfants. » Un peu plus loin, il est écrit que je dois « porter un vêtement de protection approprié, des gants appropriés et un appareil de protection des yeux et du visage ». Concrètement, il faut un scaphandrier pour utiliser ce produit sans danger et en plus, il est interdit de l'avaler. Je n'ai plus vraiment envie de mourir, au fond. Pas avec ce truc-là, en tout cas, qui va me faire crever à petit feu dans des douleurs atroces. De quels autres moyens puis-je disposer sans risquer de souffrir ? Je n'ai pas de barbiturique. Je n'ai pas de somnifère. La vodka seule ne servira à rien et je serais déjà totalement à la masse avant même d'avoir atteint un peu probable coma éthylique dont j'ai une chance sur deux mille de ne pas revenir. Si je cherche bien, je sais qu'il me reste quelque part une boîte de suppositoires contre la toux et des pastilles à sucer pour la gorge. J'ai de quoi déclencher l'hilarité générale du SAMU avec mon suicide aux suppos. Tout bien considéré, Edgar ne vaut peut-être pas la peine que je meure pour lui.

« Garance, je sais que tu es là, décroche, c'est Edgar... Allô ? Réponds... »

Tiens ! Quand on parle du loup...

« J'ai appelé à ton bureau, j'ai eu une fille qui s'appelle Sylvie et qui m'a dit que tu étais chez toi. Décroche s'il te plaît, il faut que je te parle, c'est important. Je ne suis pas loin de chez toi. Je serai là d'ici une dizaine de...

— Qu'est-ce que tu veux ?

— C'est toi ?

— Non, c'est la bonne. Tu veux quoi ?

— Je voulais te parler de ce que tu as vu au bois hier.

— Et j'ai vu quoi ?

— Je ne voulais pas que tu l'apprennes comme ça.

— Tu voulais que je l'apprenne comment ? À la radio, dans les journaux ? Par Aglaé ? Oui, elle se serait sûrement fait une joie de me l'annoncer elle-même. J'imagine que tout Paris est au courant sauf moi ?

— Je voulais te le dire moi-même quand je suis rentré mais j'étais fou de rage contre toi.

— Et ?

— Je pensais que tu avais compris que toi et moi, c'était de l'histoire ancienne. Mais tu m'as laissé tellement de messages, j'ai réalisé que je n'avais peut-être pas été assez clair. C'est pour ça que j'ai débarqué chez toi.

— En pleine nuit ?

— Je suis arrivé en bas de mon immeuble au moment où les flics se sont pointés. J'ai posé deux trois questions aux voisins et j'ai appris ce qui s'était passé. Je suis venu tout de suite après.

— Et tu as appris quoi ?

— Qu'un type qui rôdait depuis quelques jours dans les parages avait essayé de forcer la porte de mon appartement.

– On appelle ça un cambrioleur.

– Non, pas quand le type a les clés. Je les ai trouvées dans la cage d'escalier.

— Eh bien, tu as une chance de cocu, qu'est-ce que tu veux que je te dise ?

— Je te rappelle qu'une femme a été blessée à cause de toi. Si ça te fait rire, c'est l'essentiel.

— Bon, abrège.

— Quand je suis venu te voir, je suis arrivé avec la ferme intention de mettre les points sur les *i* mais tu m'as tellement énervé à jouer les amnésiques, je crois que je t'aurais tuée.

— Je profite de l'occasion pour te remercier de m'avoir attendue à l'hôpital.

— Pourquoi ? Tu te serais expliquée ?

— Justement, oui. Cette fille, c'est qui ?

— Je l'ai rencontrée dans l'avion quand je suis rentré pour l'enterrement de Camille. On s'est revus et voilà.

— C'est elle que Léon a fait tomber dans ton escalier ?

— Non, c'est la femme du deuxième étage. Elle a porté plainte. Les flics sont venus m'interroger, j'ai dit que je ne savais rien et que j'étais sorti quand c'est arrivé.

— Trop aimable. Et tu étais où pendant ces huit jours ? Je t'ai cherché partout.

— Chez elle.

— Et pourquoi tu as fait semblant de ne pas me voir dans le bois ?

— *Primo*, je te signale que tu étais au téléphone. *Deuzio*, je pense que la situation aurait été embarrassante pour tout le monde. Et *tertio*, si tu avais vu ta dégaine, je pense que tu me remercierais de t'avoir épargné les présentations.

— Tu plaisantes ! On a passé sept mois ensemble, on vivait sous le même toit ; je découvre par le plus grand des hasards que je suis cocue, je te chope avec ta gonzesse à roucouler accoudés à une buvette comme si de rien n'était, tu...

— Calme-toi, c'est ridi...

— Tu permets ? C'est mon tour, maintenant. Tu m'ignores totalement alors que tu sais que je t'ai vu, tu ne t'es pas manifesté depuis ton départ pour Cebu, j'apprends par ta garce de copine que tu es rentré soi-disant pour l'enterrement d'une grand-mère dont tu m'as tenu tellement éloignée que je me demande même si elle a jamais existé, tu fais le mort depuis des semaines alors que je te cours après et il faudrait que je te remercie ? Tu rêves !

— Je suis désolé, Garance, je ne voulais pas que ça se passe comme ça. Je ne sais pas quoi te dire d'autre.

— Alors ne dis rien.

— Ça va aller, tu es sûre ?

— Qu'est-ce que ça peut te faire que j'aille bien ou pas ? Tu crois quoi ? Que je vais me suicider parce que tu es dégonflé, menteur, calculateur et manipulateur ? »

Il me prend pour qui ? Pour quelqu'un de fragile et déséquilibré au point de mourir parce qu'il m'a lourdée ? Je suis forte. Je suis vivante même si on n'est pas passé loin de la catastrophe et je reprends du poil de la bête. C'est bien. La sonnerie du téléphone me ramène sur terre. Je suis sûre que c'est Edgar qui rappelle et qui n'a pas aimé que je lui raccroche au nez...

« Qu'est-ce que tu veux encore ? Je crois qu'on s'est tout dit.

— Garance ? C'est Fabio.

— Fabio... ? Je te rappelle, je dois partir et je suis très en retard. »

Il ne manquait plus que lui !

45

Je ne suis pas morte. Bonne nouvelle. Enfin, surtout pour moi. La vie a donc repris tranquillement son cours et le temps sa course. Que s'est-il passé depuis ces deux semaines où j'ai gardé le silence ? Pas mal de choses en fait, mais rien de fondamentalement mémorable. J'ai beaucoup vu Alizée, avec qui j'ai déjeuné trois ou quatre fois. Nous avons parlé des heures durant de ma récente déception amoureuse, des conclusions que j'en avais tirées et nous avons remercié le ciel de m'avoir ouvert les yeux avant d'être trop vieille pour prendre le taureau par les cornes. Trente-cinq ans, bientôt trente-six, c'est encore jeune. Surtout à notre époque où l'espérance de vie se rallonge chaque jour davantage. Si je vis ne serait-ce que jusqu'à cent ans, il me reste encore soixante-quatre ans à vivre. Presque deux fois mon âge actuel. C'est dire si j'ai l'avenir devant moi.

Ah, j'oubliais ! Il y a au moins huit jours, je suis tombée nez à nez avec Fabio. Je dînais dans un nouveau restaurant avec Arthur, son amant Fanfan, Luc, Eric, que je n'avais pas vus depuis des milliards d'années, et les filles. C'est là que nous l'avons croisé. Évidemment, je ne l'avais pas rappelé depuis son dernier coup de fil. Nous papotions tous les neuf sur le seuil, prêts à quitter les lieux, et il aurait été difficile de faire semblant de ne pas le voir vu la taille du sas de sortie. Lui entrait, accompagné d'une belle plante qu'il tenait par la main et qu'il ne nous a pas présentée. En l'apercevant, Luc et Marine se sont subitement arrêtés pour lui parler, bouchant carrément le passage.

« Oh, pardon, Garance. Je n'avais pas vu que tu étais juste derrière. Fabio, tu te souviens de Garance ?

— Très bien, oui. Bonjour, Garance.

— Bonjour. Décale-toi, Luc, que je puisse sortir s'il te plaît. Je vous attends dehors. Il fait trop chaud ici. »

J'ai contourné Luc, profitant de l'arrivée de Lætitia et d'Eric, et suis passée devant Fabio sans l'embrasser, les yeux baissés pour éviter son regard. Ce garçon m'énerve. Je ne sais pas pourquoi, c'est épidermique. J'ai suivi Lætitia et Eric, convaincue qu'ils m'avaient vue sur leurs talons. En sortant, Eric a lâché la porte derrière lui. Comme je ne quittais pas des yeux mes pieds de peur de me les prendre dans le paillasson, je me suis mangé la lourde de plein fouet. Aïe ! En tentant de rassembler mes esprits, je me suis aperçue que Fabio me fixait, amusé. J'ai fait genre « même pas mal » alors que j'étais sûre d'avoir perdu au moins huit dents, et je suis sortie comme si de rien n'était. Deux minutes après, Luc nous a rejoints.

« Je sais par Fabio qu'il t'a téléphoné mais il n'a pas voulu m'en dire plus. Vous vous êtes vus ?

— Il t'a raconté quoi ?

— Rien, justement. Je lui ai demandé s'il avait eu de tes nouvelles et il m'a juste répondu que oui, il t'avait parlé. C'est tout.

— Il m'a en effet téléphoné, mais je n'ai pas pu lui parler.

— Tu étais en retard et tu devais partir, oui, je sais.

— Écoute, Luc chéri, je vais te le répéter une bonne fois pour toutes, je n'ai aucune envie de me maquer avec qui que ce soit et encore moins avec ton copain.

— Tu as tort, c'est vraiment un type sympa et il est très drôle. Tu te marrerais bien avec lui.

— Je sors d'une histoire à hurler de rire, justement, alors je vais mettre mes zygomatiques au repos et on en reparle en 2009, d'accord ? Allez, je suis crevée, j'y vais. Bisous tout le monde. On s'appelle pour organiser le week-end à la campagne. Tu viens, Julie, je te dépose. »

J'ai énormément travaillé, aussi, et sans aucune prétention, grâce à mon acharnement, à mes heures supplémentaires et à celles de quelques membres de mon équipe, l'agence a remporté un énorme budget dont je ne suis pas peu fière. Un budget de lingerie fine. Moi, je n'ai jamais été spécialement tatillonne quant au choix de mes dessous. Je veux du pratique, du fonctionnel, du doux qui ne gratte pas et que ce que j'ai à mettre dedans soit à l'aise. Quand on voit le peu de temps que mon soutien-gorge reste sur mes seins quand un homme a décidé de me l'enlever, je trouve parfaitement inutile de dépenser des fortunes pour avoir des balconnets sophistiqués. Balconnets que je vais retrouver accrochés au lustre ou au pied du lit sans même que monsieur ait eu le temps d'apprécier la marchandise. J'ai essayé d'acheter du cher et du beau. Edgar m'a arraché mon string avec les dents, un string tout neuf, tout en dentelle, magnifique et assorti à un soutif somptueux. En moins de deux, je n'avais plus qu'un vieux bout de tissu en lambeaux et j'ai dû dire adieu à une parure à deux cents euros. De rage, je me souviens, je lui ai déchiqueté sa chemise. Après ça, j'ai fini par me rendre à l'évidence : pour les hommes, l'intérêt est limité à ce qu'il y a à l'intérieur et pas autour. *Exit* l'emballage. Du coup, je suis restée fidèle à mon 100 % coton, hypoallergénique, qui se lave à 90° en machine et qui, c'est vrai, sort gris sale au bout de trois lavages. Avant-dernière bonne nouvelle, j'ai une voiture de fonction. M. Charvey me l'avait promise si on gagnait le budget et il a tenu parole. Elle est superbe. Petite, donc pratique à garer, rapide avec une tenue de route parfaite. J'ai collé une annonce sur mon ancienne voiture pour la vendre, mais pour l'instant, je ne suis pas débordée par les nombreux appels. Il faudrait peut-être que j'envisage de la bouger du parking un jour par semaine si je veux avoir une chance que l'annonce soit lue. La dernière autre bonne nouvelle, et après j'arrête avec mon côté « tout va bien », c'est que j'ai sympathisé avec la styliste de cette marque et qu'à Noël, elle m'a dit qu'elle m'enverrait la totalité de la nouvelle collection à ma taille. Mon prochain chéri pourra avoir le privilège, si ça lui chante, de découper mes parures, je m'en fous, je ne les aurai pas payées !

Quant à Edgar, je n'ai pas cherché à le voir ni même à avoir de ses nouvelles par personne interposée. Je n'y pense plus. J'ai même effacé tous ses numéros de mes répertoires pour ne pas être tentée si un soir j'ai un coup de blues. Je sais qu'il est venu récupérer ses affaires. Je le sais tout simplement parce qu'il n'y a plus rien de lui dans mon appartement. Plus rien. Il a quitté les lieux et ma vie presque simultanément.

46

J'ai réglé les derniers petits détails qui parasitaient l'éclosion définitive de mon nouveau moi et je me suis enfin décidée à organiser une dînette à la maison avec Léon d'abord, avec Martin ensuite. Il était temps de mettre un terme à ces deux relations unilatérales qui ne m'apportaient rien et qui leur faisaient plus de mal que de bien. Et tant qu'à faire le vide sentimentalement, autant le faire jusqu'au bout, sans s'embarrasser de vieux fantômes aigris qui viendront me hanter plus tard. Je leur devais bien ça car même s'ils n'ont pas directement participé à ma renaissance, ils m'ont bien aidée à y voir plus clair. À ma grande surprise, Léon l'a très bien pris. Il avait fumé, certes, mais il m'a expliqué qu'il ne s'était jamais vraiment fait d'illusions et que s'il avait accepté une tâche aussi vile que l'espionnage, c'était pour moi. Par amour, oui, mais il savait pertinemment à quoi s'en tenir et ne me reprochait rien. J'en suis presque venue à regretter de ne pas avoir couché avec lui ! Nous nous sommes séparés sans animosité, sans rancœur et finalement, c'est quelqu'un de bien, d'intègre, de généreux, de fidèle et de gentil. Il m'a seulement fallu du temps et pas mal d'événements pour en prendre conscience. Pour le regarder vraiment et l'accepter lui aussi. Je sais que je ne le perdrai pas complètement de vue. Je sais qu'il me rappellera et j'en suis contente parce qu'il est capable de passer à autre chose.

Pour Martin, ça a été plus laborieux. Je m'étais fait suer à mettre les petits plats dans les grands en pensant qu'un dîner d'adieu devait être un peu spécial, et l'autre, il n'a touché à rien ! Alors ça, pour pleurer, il a pleuré ! Il a demandé cent fois pourquoi je ne l'aimais pas, il a supplié le bon Dieu, la Vierge Marie et tous leurs sbires de me faire changer d'avis, que je ne pouvais pas le lourder comme ça, sans raison, « et pourquoi moi et gnagnagna et patati et patata, ouin ouin ouin, je suis très triste, tu ne peux pas me faire ça, mais je t'aime moi, je ferai qu'est-ce que tu voudras, snif-snif-snif ». Quel gros lourd ! Je n'avais qu'une envie, le jeter dehors pour ne plus entendre ses jérémiades. Je ne suis pas *fair play*, je sais. J'ai essayé de le consoler tant bien que mal et de lui faire comprendre que ce n'était pas lui que je quittais mais moi que je retrouvais. Que je ne lui reprochais rien, qu'il était parfait comme il était, que je lui souhaitais tout le bonheur du monde parce qu'il le méritait mais que j'avais besoin d'être seule. Seule voulant dire sans lui. Je ne pourrais pas vous certifier qu'il a tout assimilé mais il a fini par se barrer et pas en sautant par la fenêtre. Je ne vous ai pas parlé de Cyrus qui, lui, je le sais, ne posera aucune question et se pliera à ma décision sans même chercher à en connaître les raisons. J'ai balayé devant ma porte en me promettant de ne plus me faire manipuler, comme avant, en permettant à mes sentiments de prendre le dessus sur ma raison. Je prends le risque d'attendre un homme qui ne viendra peut-être jamais. Je prends le risque d'attendre pour rien, d'être une vieille fille sans enfant et de ne jamais avoir ma famille à moi. J'assume ce risque. Je suis prête à attendre.

Nous prenons la route tout à l'heure pour aller passer le week-end de la Pentecôte en Normandie, week-end prévu depuis un moment, et nous avons décidé de nous y rendre à plusieurs voitures. La maison est à environ une heure de Paris et l'idéal serait d'être sur place vers 4 heures pour profiter de la piscine et des derniers rayons du soleil. Marine et Luc préfèrent rentrer coucher chez eux, quitte à revenir demain matin pour le barbecue. Lætitia et Eric viennent juste pour l'après-midi et la soirée car ils ont un déjeuner de famille dimanche. C'est l'anniversaire d'une nièce d'Eric et comme il est le parrain, il n'a pas pu se soustraire à l'invitation. J'emmène Alizée, Julie et Arthur dans ma nouvelle automobile de fonction. Les trois ne savent pas encore s'ils dormiront sur place, ils aviseront le moment venu. Si c'est bien, ils restent. Si c'est nul, ils trouveront une voiture pour les raccompagner. Moi, c'est tout vu, je reste. Je suis une nomade dans l'âme, il n'y a rien que j'aime plus que de me réveiller dans des maisons que je ne connais pas, de prendre un bain dans une baignoire qui n'est pas la mienne en utilisant des produits et du linge dont les odeurs ne me sont pas familières, de prendre mon petit déjeuner en découvrant un paysage, un jardin, un mobilier qui ne feront partie de mon univers que le temps d'un bref séjour. J'aime fureter de pièce en pièce, découvrir un intérieur, m'imprégner de l'ambiance, ouvrir les placards, les réfrigérateurs, les penderies, feuilleter les livres des bibliothèques, passer en revue les magazines et les CD. En m'intéressant à ce qui m'entoure, qui n'est pas forcément ni à mon goût ni à mon image, j'ai l'impression de mieux connaître ceux qui vivent dans les murs.

Sur l'autoroute, nous avons perdu Luc dont la voiture est un vrai bolide. En deux minutes, il nous a semés. Nous n'avons qu'un plan d'accès photocopié à la va-vite et une fois que nous avons quitté l'A13 et franchi le péage, ça se complique pour trouver la maison. Le portable de Marine ne passe pas, pas de réseau. Idem pour celui de Luc. Nous n'avons même pas le numéro de téléphone de l'endroit où nous allons et pas beaucoup plus d'infos sur la maîtresse des lieux. Elle s'appelle Larissa, c'est une artiste, elle pend sa crémaillère dans la nouvelle et immense propriété qu'elle vient d'acheter et où elle a décidé, voici deux mois, de s'installer définitivement pour peindre. Elle a prévu plein de jeux pour que les gens se rencontrent plus facilement et se mélangent. C'est une bonne idée. Nous ne savons rien d'autre sur elle ni même comment nous avons été invités : il y a eu tant d'intermédiaires qu'il est impossible de remonter la filière jusqu'à elle. Luc pense qu'il y aura au moins cinquante personnes. Je me sens guillerette, ça tombe bien, mais il va juste falloir trouver cette « put... » de route départementale avant que je ne m'arrache tous les cheveux.

Luc et Marine, on s'en doutait, sont déjà là depuis une bonne heure quand enfin, nous franchissons le portail. La maison a plus la taille d'un petit château que d'une chaumière. Il y a déjà énormément de monde agglutiné au bord de la piscine, allongé sur l'herbe et les transats, ou encore autour du buffet dressé près du *pool house*. Je n'invente rien, je ne fais que lire la pancarte cloutée sur le haut de la porte. *Pool House*. C'est très chic, ici. Larissa nous accueille à bras ouverts, un sourire magnifique aux lèvres, comme si elle n'attendait plus que nous pour que son bonheur soit total. Elle est rayonnante.

« Ah ! Vous voilà, on s'inquiétait ! Bonjour et bienvenue, je m'appelle Larissa.

— Garance.

— Alizée.

— Julie.

— Moi, c'est Arthur.

— Si vous voulez vous changer, il y a soit les vestiaires là-bas, soit les chambres du haut. C'est comme vous voulez, vous êtes ici chez vous. Vous avez faim, soif ?

— Non merci, c'est adorable. Qu'est-ce que c'est beau ici.

— J'adore cette maison, elle appartenait à la famille de mon mari depuis des générations mais comme plus personne ne pouvait l'entretenir, les oncles, les tantes, les enfants ont décidé de la vendre. Mon mari l'a rachetée. Il a passé toutes ses vacances ici quand il était petit. Ça lui aurait brisé le cœur de s'en séparer. Allez vous mettre en maillot, il fait un temps magnifique et la piscine est chauffée.

— Vous venez, les filles ? On monte ? »

J'ai préféré enfiler mon deux-pièces dans une des chambres. J'ai fait mon petit tour de repérage. Derrière chaque porte que j'ouvre se cache un trésor de raffinement et de goût. Tout est somptueux. Les salles de bains pharaoniques, les lits à baldaquin, les tapis, les sculptures, les tableaux, les meubles anciens. Un palais des *Mille et Une Nuits*. Les filles en ont eu marre d'attendre et sont venues me chercher par la peau du dos.

« Tu es gonflée, Garance ! Gonflée et insupportable. Tu crois que ça se fait de fouiller chez les gens comme ça, partout et tout le temps ? Tu n'es pas là depuis cinq minutes et je suis sûre que tu as passé tout l'étage au crible. Tu as choisi ta chambre ?

— Oui, et ma salle de bains donne directement dans ma chambre. Tu sais, c'est le système japonais avec les paravents que tu tires. J'adore cet endroit ! »

Nous sommes redescendues pour aller piquer une tête. J'ai un vieux reste de bronzage et je remercie une nouvelle fois Tara et Lilas pour ce voyage à la Martinique. Au moins, même si je ne suis pas la mieux foutue, je ne suis pas la plus blafarde. L'eau est très bonne et alors que je barbote tranquillement tout en discutant avec un couple, Marine vient m'interrompre :

« Devine qui est là ?

— Ma mère ?

— Pourquoi ? Elle est invitée ?

— Avec elle, on ne sait jamais. Alors, qui ?

— Fabio ! Je viens d'apprendre que c'est le cousin germain de Larissa.

— Tu lui as dit que j'étais là ?

— Pas besoin, il t'a vue. »

Et tout à mon avantage, en maillot...

47

Je sais bien qu'il m'a vue. Dès que je regarde dans sa direction, il a les yeux sur moi et toujours ce même sourire. Ce sourire est un affreux miroir de toutes mes mésaventures récentes et me renvoie tout ce dont je n'ai pas envie de me souvenir. Chaque fois, je détourne la tête, gênée qu'il m'ait surprise à l'espionner. Il a l'air seul. Je cherche dans la foule la fille qui l'accompagnait le soir où nous nous sommes croisés au restaurant. Apparemment, elle n'est pas là. Pour me donner de la contenance, je papillonne, discutant un peu ici, un peu là et surtout, je me tiens loin du périmètre de Fabio. Je me présente à droite, à gauche et au bout de deux heures, je crois qu'il n'y a pas une seule personne qui ne sache comment je m'appelle et quels sont les gens qui m'accompagnent.

Arrive le moment des jeux que Larissa a organisés comme un chef. Les équipes se forment au hasard d'un petit papier plié en quatre sur lequel chaque invité a son nom. Pioché par une main innocente dans un chapeau haut-de-forme, mon nom rejoint l'équipe rose. Larissa a compté six équipes de huit personnes en moyenne. Je suis la partenaire de Samir, Jean-Philippe, Pierre, Guillaume, Prudence, Phung et Laura. Je vais donc devoir me faire de nouveaux amis puisque c'est avec eux que je vais passer le reste de la journée. Nous commençons par une balle au prisonnier que mon équipe et moi-même avons remportée haut la main sous les applaudissements d'une foule en délire. Arthur est dans l'équipe de Fabio et ils n'arrêtent pas de se marrer ensemble et de se parler. De quoi ? Arthur me racontera plus tard. Après le ballon, mini-golf, chasse au trésor, épreuves sportives, devinettes, mimes... Larissa a fait preuve d'une grande imagination et je dois reconnaître que je m'amuse comme si j'avais dix ans. Tout le monde est dans le même état d'excitation et les rires fusent de tous les côtés. Vers 9 heures, nous avons quartier libre pour aller prendre un bain ou une douche. C'est un bordel inimaginable mais organisé. Les chambres sont investies en deux minutes et j'ai juste le temps de gravir les marches sept à sept avant que Fabio, la main sur la poignée de MA porte, ne s'approprie MA chambre.

« Excuse-moi, c'est ma chambre. Je suis désolée mais Larissa m'a mise là. Je ne voudrais pas avoir l'air de...

— Bonjour, Garance. Ne t'inquiète pas, je vais prendre celle d'à côté.

— Mais je ne suis pas inquiète. Il faut que je prenne ma douche. On a rendez-vous en bas dans moins de cinquante minutes. »

Je ne suis pas inquiète mais écarlate.

Je suis dans mon bain à me prélasser. Je dévisse les bouchons des flacons alignés tout autour de la baignoire et je respire à pleins poumons les parfums qui s'en dégagent. J'aime le luxe. J'aurais adoré être une princesse, habiter un palais, avoir un roi pour père et régner sur mes servantes. Lætitia me sort de ma rêverie en hurlant que je suis « supra, méga, giga » en retard et que tous les invités sont déjà à table.

« Magne-toi ! Tout le monde est là, on n'attend plus que toi ! Larissa doit faire un discours et elle ne veut pas commencer tant qu'il manque des retardataires.

— Mais je ne suis pas prête du tout ! Tu devais passer me chercher avant de descendre ! Pourquoi tu n'es pas venue plus tôt ?

— On a fait un câlin avec Eric et je t'ai oubliée. Tu aurais pu surveiller l'heure, aussi, c'est pas vrai ça ! Ta montre, elle est où ?

— Dans la chambre, sur la table de nuit. Tu as vu ma tête ? Je ne serai jamais prête en cinq minutes, ça, c'est une certitude.

— Je te sèche les cheveux et pendant ce temps, tu enfiles un pantalon. C'est bon ?

– C'est bon, c'est bon...

— Allez, dépêche-toi, je te signale que cinquante personnes poireautent à cause de toi. »

Je suis arrivée comme un chien dans un jeu de quilles avec une bonne trentaine de minutes de retard sous les « Ah enfin ! », « Ben tu étais où ? », « Tu tirais un coup ? », « Un banc pour Garance, hip, hip, hip, hourra ! » J'ai les joues en feu et je suis aussi à l'aise que si j'avais la tourista. Jamais je n'ai été en retard de toute ma vie. À part quand c'était sciemment. Les yeux rivés sur mes chaussures, je repense soudainement au mariage d'Edgar, quand tous ces gens incrédules déshabillaient vulgairement du regard cette mariée infidèle et impudique. J'ai compris pourquoi elle ne s'était pas fait *hara kiri*. La peur paralyse. Il restait deux places vides l'une en face de l'autre. La mienne et probablement celle de Lætitia. Je m'assois en m'excusant platement auprès de mes voisins pour ce malencontreux retard indépendant de ma volonté.

« Tu t'es endormie ? »

Je suis sauvée par le gong et par le discours de Larissa qui, en deux mots, nous remercie tous d'être venus et nous félicite pour les épreuves de l'après-midi que nous avons menées avec brio. Nous levons notre verre à sa santé et elle doit boire son champagne cul sec pendant que nous entonnons un « Elle est des nô-ô-tres, elle a bu son verre comme les au-au-tres ! ». Tout le monde chante faux, c'est atroce, mais on s'amuse et c'est l'essentiel.

« Alors, tu ne m'as pas dit. Tu t'es endormie ? »

Mais de quoi je me mêle !

« Pourquoi ? J'ai l'air endormi, ou abruti ?

— Garance est beaucoup de choses, mais elle est loin d'être abrutie. Bonsoir, je suis Fabio, le cousin de Larissa.

— C'est la place de Lætitia. Tu t'es trompé de table, Fabio.

— Mais non, laisse-le, il est très bien là où il est. Elle se mettra ailleurs, ta copine. Alors, tu es le cousin de Larissa. De quel côté ? »

Je reste polie et ravale mon « On ne t'a pas sonné, gros con » avant qu'il soit trop tard. Nous sommes servis à table par une ribambelle de jeunes hommes superbes qui portent veste et gants blancs. Les vins sont exceptionnels, les plats succulents et le dessert à tomber à la renverse. Fabio a beau être assis à cinquante centimètres en face de moi, je demeure courtoise, mais je lui parle peu. Je n'y arrive pas. Pour m'occuper et me donner du courage, je bois. Vodka tonic à gogo. Le mélange champagne-vin-vodka n'est pas très heureux et je sais que j'en souffrirai demain. Mais demain est un autre jour. Luc a raison, Fabio a un humour décapant et un sens de la repartie inouï et, bien malgré moi, il me fait rire. Dès que je lève le nez de mon assiette, ses yeux sont dans les miens et il me fait rougir. Il va quand même falloir que je me décoince. Zen, bichon, zen. Respire. Avant, c'était avant. Fabio était là au mauvais moment au mauvais endroit mais toi pas. Assume. J'ôte donc le balai que j'ai dans le derrière et je me sens très vite beaucoup mieux, les cinq verres de vodka tonic n'étant pas étrangers à l'affaire.

Le dîner s'achève. La musique est top. Les filles et Arthur se trémoussent déjà sur de la techno-house-funk-pop-et-je-ne-sais-pas-quoi-encore. J'observe Fabio évoluer d'une table à l'autre et partout où il s'arrête, les gens rient. Contrairement à moi, l'herbe repousse sur son passage. Il est gai et à l'aise. Il invite des filles à danser. Au moins sept, dont Larissa, mais elle, c'est sa cousine, alors je n'ai rien à dire. Et moi ? Jamais il ne m'invite ? Je croise plusieurs fois son regard et, prise en flagrant délit, je détourne le mien. Il danse avec Nathalie maintenant. Il est collé à elle et ça m'énerve, d'autant plus que c'est à moi qu'il sourit. Arthur est en chasse et nous joue les chattes en chaleur face à un petit mec qui, visiblement, le mangerait bien tout cru sur la piste. Si Fanfan était là, il serait hystérique mais heureusement pour Arthur, il n'a pas pu venir. De le voir s'agiter comme ça me donne envie de batifoler moi aussi. Je me promène et cherche une proie éventuelle pour étrenner mon baldaquin. Je suis complètement bourrée. Je rejoins les filles pour faire un point sur le dîner et nos voisins de table. J'aime cette maison, et les gens qui s'y trouvent ce soir. On se sent bien ici. Les couples sont beaux. Les célibataires trop rares mais sans vendre la peau de l'ours avant de l'avoir tué, je serais surprise si je ne ferre pas un joli poisson pour ma nuit de châtelaine. Le beau Jacques, là-bas, ferait tout à fait l'affaire. Mais le hic, c'est que je n'arrive plus à bouger de mon fauteuil et c'est un peu cavalier de le siffler pour qu'il rapplique. Je suis hors service. Il est quand même 3 heures et quelques. Je vais me coucher, j'en ai marre. Je vois double. Je titube. Jacques ne me calcule pas et je n'ai plus le temps de me dégoter un autre goûter. Plus la force, surtout. Bonne nuit, les petits...

48

L'escalier est désert et il fait noir. La minuterie du couloir ne fonctionne pas. Tant mieux car je monte les marches à quatre pattes façon primate. Je m'amuse beaucoup. Ma chambre est la plus belle des chambres et l'immense lit est à moi l'espace d'une nuit. Je n'allume pas, c'est plus agréable et en plus, j'ai les yeux qui brûlent. La lune est splendide. Ses rayons éclairent faiblement mais suffisamment la pièce pour que je me repère sans me fracasser quelque chose. La lumière est envoûtante. Je me plante devant le grand miroir fixé sur la double porte. Elle est magnifique cette porte. Epaisse. En bois sculpté. Et elle est douce au toucher. Elle est sensuelle. Je n'ai pas envie de me démaquiller ni de me changer. Et quand bien même j'en aurais envie, je ne trouve pas mon sac. Il a disparu, semble-t-il. Je chercherai demain. J'ai chaud. Je suis moite et je regrette de ne pas avoir tapé dans l'œil d'un mâle en manque de tendresse qui aurait pu partager ce moment avec moi. J'enlève mes chaussures, mon pantalon et ma chemise tout en fixant mon reflet dans la glace. Je suis dans *Neuf semaines et demie* et je fredonne *You can leave your hat on* tout en me caressant le ventre. Je ne me lasse pas de me regarder bouger et onduler en rythme. Comme me l'a conseillé ma mère, je passe ma langue humide sur mes lèvres. Elles brillent. C'est pas mal, elle a raison. J'enlève délicatement culotte et soutien-gorge que je fais tournoyer au-dessus de ma tête. Je suis nue. J'ai de beaux restes pour mon âge.

« Regarde bien, miroir, tu as devant toi la plus belle fille du château ! Belle et bronzée. Belle et mince. Belle et...

— Sexy. »

La maison est hantée ! Je hurle de peur en essayant de me cacher avec le couvre-lit. Malheureusement, il a été solidement bordé et j'ai beau tirer de toutes mes forces, rien n'y fait, je suis toujours à poil, et terrifiée.

« Tu veux de l'aide ? »

Je n'ose pas me retourner. Le fantôme est toujours là. Il cherche à m'amadouer, je le sais. Pour mieux me persécuter après. J'ai vu ça cent fois dans des films.

« Laisse-moi faire avec le couvre-lit, Garance. »

Il connaît mon prénom ! J'ai le trouillomètre à zéro et je me précipite derrière le rideau dans lequel je m'enroule en laissant juste dépasser ma tête. La cachette n'est pas idéale, mais au moins, Casper va arrêter de se rincer l'œil.

« C'est moi, Fabio, calme-toi...

— Me calmer, me calmer ! Tu en as de bonnes, toi ! Tu es un grand malade de faire peur aux gens comme ça ! Et on ne t'a jamais appris à frapper avant d'entrer chez quelqu'un ?

— Si, mais en général je ne frappe pas quand j'entre dans ma propre chambre.

— Comment ça, ta chambre ?

— Tu es dans ma chambre, Garance. La tienne est celle juste à côté. Tu as dû te tromper mais ça n'a pas d'importance. Si tu veux, tu restes là et je dors à côté. »

Je suis anéantie et toujours grotesquement enroulée dans le rideau. Je me félicite de ne pas avoir allumé la lumière en entrant. J'ai la gorge nouée et à peine la force de murmurer un : « Oui, on va faire comme ça. Merci. »

« Bonne nuit, Garance.

— Oui.

— Dors bien. »

A reculons, il sort. Il me sourit et, contrairement à ce à quoi je m'attendais, il n'y a plus rien de moqueur dans ce sourire. Je ne dis rien. J'attends qu'il ait fermé la porte pour me dégager du rideau et m'asseoir sur le bord du lit, les bras ballants. Je n'y crois pas ! Je me suis trompé de chambre ! Et il a fallu que ce soit dans la sienne que je me retrouve. Je n'ai plus qu'une chose à faire : me coucher, et espérer que demain il aura oublié. J'ai de la chance, je mets un peu moins de deux heures à m'endormir.

Quand j'ouvre difficilement un œil, il fait déjà jour. Quelle heure est-il ? Je ne sais pas et ma montre est dans mon pantalon. Ai-je rêvé ou quelqu'un a frappé ? Je n'ai pas rêvé, quelqu'un frappe à ma porte.

« Je peux entrer ?

— Qui est là ?

— Moi. »

Fabio porte un énorme plateau de petit déjeuner qu'il dépose sur le lit. Ça sent bon. Je ne suis pas plus vêtue qu'hier, mais je suis emmitouflée sous la couette que j'ai tirée jusqu'au menton. Je le regarde pendant qu'il prend place à côté de moi. Il enlève ses chaussures, s'allonge sur le lit et se cale sur le deuxième oreiller. Je suis médusée, mais lui est très à l'aise. Il se penche vers moi et me dégage doucement la mèche de cheveux que j'ai sur le front.

« Bonjour ! Tu as bien dormi ?

— Euh... oui, très bien.

— Tu es belle, Garance. Même au réveil, tu es belle. »

Pour la première fois, je le regarde vraiment, droit dans les yeux. J'ai une boule dans le ventre.

« Thé ou café ? » me demande-t-il...

Remerciements

Un grand merci à Gilbert qui, le premier, a donné son avis sur cette histoire et m'a encouragée à continuer. À Alessia, pour sa patience, ses suggestions et son soutien. À Clarisse, pour ce qu'elle sait avoir fait et que je n'oublierai pas. Et à toutes « mes filles », qui font partie de ma vie et qui la rendent belle.

Mille mercis enfin à Anne Carrière, Stephen, Caroline, et à Véronique de Bure qui ont cru en moi, et sans lesquels cette superbe aventure n'aurait jamais vu le jour.

7995

Composition IGS
Achevé d'imprimer en France (Manchecourt)
par Maury-Eurolivres
le 12 avril 2006.
Dépôt légal avril 2006. ISBN 2-290-34724-8

Éditions J'ai lu
87, quai Panhard-et-Levassor, 75013 Paris
Diffusion France et étranger : Flammarion